JN106512

# 世界史から読み解く「コロナ後」の現代

佐藤けんいち

# はじめに

2020年初頭から始まった「新型コロナウイルス感染症」（COVID-19）が、依然として猛威を振るいつづけている。中国の武漢発のパンデミックは、まさに不意打ちのような形で全世界を襲っただけではない。安全か経済かという、究極的で根源的な問いを突きつけている。

パンデミックによる外出制限は、「ロックダウン」や「ステイホーム」という形で、私たちの生活を直撃した。生命を守るための外出制限は、感染拡大を防ぐために必要だったが、経済活動が停滞してしまうと、仕事によって得られる報酬や、生きがいもまた失われてしまう。代償はきわめて大きいのだ。また、環境の激変によって、「リモートワーク」という、あらたな就業形態が常態化しつつある。

21世紀になってから、予想もしないことが次から次へと発生する「VUCA（ブーカ）の時代」といわれるようになっている。VUCAとは、Volatility（変動性）、Uncertainty（不確実性）、Complexity（複雑性）、Ambiguity（曖昧性）の頭文字をあわせたものだが、今回のパンデミックは、まさにVUCAそのものだ。

ウイルス学者たちは、ここ数十年の人間生活の激変が、あらたなウイルス環境をつくりだしていることについて警鐘を鳴らしてきた。にもかかわらず、経済を優先する私たちは、聞こえない振りをしてきたのかもしれない。どうも人間というものは、自分が痛い思いをしない限り、学ぶことはないようだ。

都市化とグローバリゼーションで、ヒトとの接触が「密」になっただけでなく、おなじく「密」な環境である養豚場や養鶏場の急拡大で、ブタやトリと共生してきたウイルスが強毒化しているのである。人間社会を急速に激変させてきた「近代文明」が、ウイルスの生存環境もまた激変させてきたことを知ると、やはりどこかで減速するなり、ブレーキをかける必要があったことに、いまさらながら気づかされるのである。今回のパンデミックは、その意味で、「強制終了スイッチ」となったのかもしれない。

「新型コロナウイルス感染症爆発」によるパンデミックが、これほど急拡大したのは、「グローバリゼーション」が進行していたからだ。すでに世界中のヒト・モノ・カネ・情報が密接につながりあっているのである。だからこそ、感染症もまた一気に全世界に拡大してしまうのだ。グローバリゼーションの経済的メリットは、きわめて大きなものがあったが、同時に負の側面もあったことを、私たちはどうやら失念していたようだ。

もしかすると、今回の新型コロナウイルスのパンデミックで、「グローバリゼーション」が終わったのではないだろうか。そんな問いをしてみる必要があるだろう。「不確実性」の霧のなかにいる私たちは、手探りでも前に進んでいくしかないのだが、これから世の中がどうなっていくか考えるためには、いったん過去に遡って歴史を振り返ってみるべきだろう。

2020年現在のいま終わりつつある「グローバリゼーション」は、歴史的には16世紀以来3度目のものだ。グローバリゼーションによって引き起こされたカオス状態は、そのつど、地球レベルで大激動をもたらしてきた。だが、自然環境の激変による「異常気象」もその原因の1つとなって、カオス状態はあらたな安定状態に向けて動き出すことになる。安定するまでには長い時間がかかるだけでなく、その間にはまだまだ激動が続くだろう。とはいえ、最終的には状態は安定化していくはずだ。カオス状態は、あらたな秩序が形成されるための前段階でもある。

もちろん、「新型コロナウイルス感染症」の渦中にいる私たちには、はっきりと先が見えているわけではない。だからこそ、自分自身の経験ではなく、歴史に学ぶことが必要なのだ。環境が変わる以上、歴史がそのまま繰り返すことはないが、似たようなパターンが繰り返されてきたことは否定できないのである。

そこで本書では、16世紀後半に始まり、17世紀半ばに終息した「第1次グローバリゼーション」とその後について考えてみたいと思う。「コロナ後」に生きるための、ヒントなり教訓を見つけることができるはずだ。では、さっそく始めることにしよう。

世界史から読み解く「コロナ後」の現代

目次

## 第1章　新型コロナウイルス感染症（COVID－19）で「第3次グローバリゼーション」が終わった

## 第2章 「第1次グローバリゼーション」がもたらした地球規模の大動乱(16世紀)

## 第3章 「第1次グローバリゼーション」の終息(17世紀)

第1章

# 新型コロナウイルス感染症(COVID-19)で「第3次グローバリゼーション」が終わった

「グローバリゼーション」が感染症爆発を促進し、それゆえに「グローバリゼーション」は終わる。もし、「グローバリゼーション」の状態になかったら、これほど急激に世界全体にウイルス性の感染症が拡大することはなかっただろう。2020年初頭から始まった「新型コロナウイルス感染症」（COVID-19）の世界的拡大のことである。

予想もしないことが次から次へと発生するVUCA（ブーカ）の時代といわれるが、世界全体に被害を及ぼした（いや、いまだ及ぼし続けている）中国の武漢発のパンデミックは、まさに不意打ちのような形で全世界を襲ったのである。

この地球は、すでにインターネットによって情報がつながっているだけでなく、カネもまた金融ネットワークを動き回り、サプライチェーンによってモノもサービスもみなきわめて複雑につながりあっている。だからこそ、いったん危機的な状況が発生すると、影響はただちにネットワークでつながったシステム全体に及んでしまうのだ。金融の世界ではこの状況をさして「システミック・リスク」とよぶが、これが金融の世界の話にとどまらないことは、マスクなど医療品の供給が途絶えたことで痛感したのではないだろうか。

## 「グローバリゼーション」は「近代資本主義」の運動

「グローバリゼーション」は、中国語で漢字表現をすれば「全球化」となる。国境を越えて、地球全体に「市場」を拡大しようとした、「近代資本主義」の運動を的確に表現しているといえよう。

この動きは16世紀後半に始まり、これまで19世紀前半、20世紀後半と3次にわたって発生してきた。１９８０年前後に始まった現在の「第3次グローバリゼーション」は、いまや終息に向かいつつある。いや終わったといっていいかもしれない。２０２０年初頭から全世界に拡大した「新型コロナウイルス感染症」で強制終了をかけられたのではないか、というのが本書のスタンスである。

「グローバリゼーション」が3次にわたって発生したというのは、そのつど終わりを体験しているからである。16世紀以来の流れが、一回もストップすることなく続いてきたわけではないのだ。最初に「グローバリゼーション」が始まってから現在で４５０年になるが、資本主義を運動として強力に推進する動きは、かなり人為的なものであったといっていい。けっして自然現象ではないのだ。ところが、グローバリゼーションは、いつも環境の激変が急ブレーキ役となって終止符が打たれてきた。

3次にわたる「グローバリゼーション」をつうじて地球全体がネットワークによって一

体化し、ヒト・モノ・カネ・情報の流れが活発化し、これにともなって多くの地域で豊かさが実感できるようになった。これは否定しようのない事実である。

だが、「第3次グローバリゼーション」は「新自由主義」(ネオリベラリズム)という極端な経済至上主義の動きであり、行き過ぎた自由化が格差を拡大し、行き着くところまで行ってしまった。その結果、かえって低成長と閉塞感を生み出す結果となってしまったのだ。「過ぎたるは及ばざるがごとし」というフレーズではないが、地球が閉鎖系空間であることに、ようやく気がつき始めたのである。無限に成長を続けるなど、ありえない幻想でしかないことが、誰の目にも明らかになってきている。

では、まず3次にわたったグローバリゼーションについて簡単に見ておこう。本書のテーマである「第1次グローバリゼーション」は、「グローバリゼーション」全体の始まりでもあるので、やや詳しく見ておくことにしよう。

## 3次にわたるグローバリゼーション

「第1次グローバリゼーション」は、1571年に始まった。地球を西回りで太平洋を横断し、東アジアにやってきたスペインが、植民地としたフィリピンで首都マニラを建設した年である。ちょうど日本は戦国時代末期であり、織田信長が「比叡山焼き討ち」を断行した年である。

世界経済の中心であった中国を目指して、ユーラシア大陸の反対側からやってきたのがカトリック国のポルトガルであった。地球を東回りの海路でやってきたポルトガルに対し、西回りで太平洋を横断してやってきたのが、おなじくカトリック国のスペインであった。スペインは、東アジアに現れる前に、「新大陸」とよばれた中南米で採掘したシルバー（銀）を手にしており、中国貿易の中継点として確保した植民地フィリピンにおいて、ユーラシア大陸とアフリカ大陸、アメリカ大陸のすべてがかかわる経済が成立したのである。これが「第1次グローバリゼーション」のはじまりであった。文字どおり経済は全球化したのである。グローバル経済が誕生したのである。

それ以前の13世紀にも、モンゴル帝国のもとで、ユーラシア大陸が陸路でつながっていた。だが、あくまでもユーラシア大陸に限定される話であったので、グローバリゼーションではない。あえてよぶとすれば「第0次グローバリゼーション」というべきだろう。

「第1次グローバリゼーション」はカトリック国のスペインが開始し、そのさなかで「朝鮮の役」（1592〜1598年）という日中間の16世紀最大規模の戦争をはさみながら、最終的な勝者はスペインから独立した新興国のプロテスタント国オランダとなった。17世紀に「黄金時代」を迎えたオランダは、世界最初の「ヘゲモニー国家」となる。

米国の文明史家イマニュエル・ウォーラーステインのいう「近代世界システム」は、このプロセスのなかで形成されていった。中心国が周辺国を従属化し、収奪することによって資本主義が進展するというプロセスである。中心国の資本主義にとっては周辺国が広大なフロンティアとして広がっていたわけだ。

オランダ通貨のギルダーが事実上の国際決済通貨として国際金融を支配した時代である。オランダは経済のみならず、政治的、軍事的に世界経済を支配することになった。「第1次グローバリゼーション」は、カトリック勢力と宗教改革によって誕生したプロテスタント勢力との争いでもあり、最終的に後者が勝利を収めたことになる。

「第2次グローバリゼーション」が動き出したのは、18世紀後半のことだ。その頃から始まった「産業革命」のなか、重商主義による管理貿易に対する不満が高まり、フランスとの覇権争いを勝ち抜いた経済強国の英国が、「自由貿易論」を振りかざす形で推進した。新興勢力の米国、国家統一を実現したドイツ、維新革命を断行した日本が英国を追撃していくことになった。第1次世界大戦後には米国とソ連が台頭、英国は衰退過程に入る。

空前絶後の大帝国となった大英帝国の時代である。英国のポンドが事実上の決済通貨として金融を支配した時代であった。それまでの自然エネルギー利用の帆船に代わって、あらたに石炭を動力とする蒸気船が登場、移動時間が大幅に短縮化されてモノとヒトの動きが活発になっただけでなく、さらには電信・電話と海底ケーブルによって、情報スピードが飛躍的に上がり、情報量も大幅に増えることになった。

「第3次グローバリゼーション」が始まったのは1980年代のことである。発端となったのは、英国のサッチャーと米国のレーガンのタッグによる「新自由主義」と「金融自由化」であったが、この動きに呼応したのが中国の鄧小平の「改革開放路線」であった。

ソ連の自壊によって冷戦構造が崩壊し、米国が単独で覇権を握った米ドル支配の世界が成立した。旧社会主義圏を資本主義圏に組み込むことで市場が拡大する。資本主義国による直接投資によって、中国は「世界の工場」となり、経済大国化が政治大国化につながった。相対的優位を失い衰退傾向に入った米国とのあいだで始まった「米中経済戦争」は、覇権争いの状態になっている。

「第3次グローバリゼーション」時代には、規制撤廃（ディレギュレーション）による「航空自由化」で、ヒトとモノの移動が活発になっただけでなく、軍事テクノロジーであったインターネットが民生用に開放されたことによって、リアルタイムのコミュニケーションが地球レベルで可能となった。これによって、地球はさらに一体化したが、モノとサービスが複雑につながりあった世界となったため、かえって脆弱性が増大してしまったのである。

**「グローバリゼーション」の終わり方**

3次にわたったグローバリゼーションがどう終わったのか、その終わり方について見ておこう。グローバリゼーションに強制終了スイッチを入れたのは、異常気象やパンデミックなど環境の激変であった。

「第1次グローバリゼーション」は、17世紀半ばに到来した「異常気象」によって強制終了をかけられた。地球は、すでに14世紀の初めから「小氷期」とよばれる状態にあったが、17世紀半ばには太陽黒点が消えた「マウンダー極小期」のため、約70年にわたって厳しい「寒冷化」に襲われることになったのである。この時期に実質的な国際決済通貨となっていたシルバー（銀）の供給が減少してきたこともあって、1640年代には「国際商業ブーム」が終わることになる。完全に終わったのは1680年代で、以後100年にわたってグローバリゼーションの動きは止まったままになる。この間、世界最初の「ヘゲモニー国家」となった新興国オランダが衰退し、イングランドとフランスが激しいヘゲモニー争いの状態に入る。

「第2次グローバリゼーション」は、「第1次世界大戦」というカタストロフィー（大破局）をもたらした。世界大戦の終結を早めたのは、1918年から大流行した「スペイン・インフルエンザ」によるパンデミックだという説もある。世界大戦終結後には「国際連盟」が設立され、国際秩序の回復につとめたが、覇権国が衰退過程にあった英国から新興国の米国に交替する端境期にあたり、きわめて不安定な状況がもたらされていた。

1929年に米国から始まった「世界恐慌」は、1930年には世界全体を巻き込み、その対応としてきわめて閉鎖的な「ブロック経済化」をもたらし、新興国の「米日独ソ」は1930年代にブロック化経済を選択、第2次世界大戦による最終勝者は米国とソ連となった。第1次世界大戦の勃発から、約30年後のことである。「米ソ冷戦体制」が続くことになったが、秩序は安定化し、局地的な戦争はあっても、世界大戦は回避することができた。

「第3次グローバリゼーション」によって、1991年にソ連を自壊に追い込むことが可能となり、平和裏に「冷戦状況」を終わらせることができた。冷戦構造の崩壊後は、旧社会主義圏の国々を「周辺国」とする形で、「新自由主義」（ネオリベラリズム）が先導した資本主義が猛威を振るい、経済的格差が拡大することになった。

だが、米国本土が史上初めて直接攻撃を受けた「9・11」（2001年）から「リーマンショック」（2008年）を経て、グローバリゼーションの減速が始まり、ついに「新型コロナウイルス感染症」による強制終了をかけられたのである。

### 「異常気象」が常態化し限界に達している地球と大転換期

近代資本主義は、空間差と時間差を利用してその差異を縮小していく運動であるというのは、名著『ヴェニスの商人の資本論』における岩井克人氏の説明だが、もはや地理的な意味でのフロンティアが地球上でほぼ消滅したことで、資本主義自体が終わりに近づいている。すでに、行き着くところまで行ってしまったのだ。「第4次グローバリゼーション」が動き出すかどうかは、現時点では定かではない。もはや、その余地はないのかもしれない。

「第3次グローバリゼーション」がほぼ終わった状態のいま、これから先いったいどうなるのだろうか。「新型コロナウイルス感染症」（ＣＯＶＩＤ−19）だけでなく、「地球温暖化」の影響も含めて、きわめて「不確実性」の高い状況ではあるが、グローバリゼーションがもたらした「カオス」はかならず終息し、あらたな「秩序」の形成に向けて動きだすことだろう。これは、過去の経験則から予測できることだ。

１９９１年の「冷戦構造」の崩壊は、「第３次グローバリゼーション」がもたらした結果であることは、すでに見たとおりだ。「冷戦崩壊」も、すでに30年前の話であり、歴史上の出来事と化しつつあるが、まだその時代を体験した人たちが現役で活躍しているので、その時代について話を聞く機会もあるだろう。「第２次グローバリゼーション」を終わらせることになった「第１次世界大戦」と「スペイン・インフルエンザ」については、２０２０年になってから耳にしたり、読んだりもしていることだろう。

これから、あらたな秩序が形成され安定化するまで、経験則からいって30年から40年はかかると推測できるが、いかなる秩序が形成されることになるのか、渦中にいるとわかりにくい。だからこそ、いまこの時期にあたって、「第１次グローバリゼーション」が誕生して終焉にいたった16世紀から17世紀の歴史をあらためて振り返ってみてほしいと思うのだ。

「地球温暖化」が進行している21世紀は、たいへん生きづらい時代だ。だが、「地球寒冷化」に見舞われた17世紀もまた、現在以上に生きづらい時代だった。ぜひ、「グローバリゼーション」が絶頂期を迎えていた16世紀と、「グローバリゼーション」に強制終了がかけられた17世紀のコントラストを、活字をつうじて体験してほしいと思う。

大転換期には、人はとかく流されてしまいがちだ。だが、みずから主体的に考え、行動して未来をつくりあげていくことが、じつはもっとも確実な道なのである。16世紀から17世紀にかけての地球規模の大転換期の歴史を振り返ることで、そのためのヒントが見つかるはずだ。では、さっそく始めよう。

# 第2章

# 「第1次グローバリゼーション」がもたらした地球規模の大動乱（16世紀）

## 「第1次グローバリゼーション」は地球規模の大変動をもたらした

日本史でもっとも人気があるのは幕末と戦国時代であろう。そしてその戦国時代こそ、世界史においても「第1次グローバリゼーション」の時代だった。

すでに第1章で見たように、13世紀にはユーラシア大陸は、陸路で東西交通がつながっている。東から西へ進出したモンゴル帝国がユーラシア大陸の大半を制覇したからだ。この段階では、東西交通はユーラシア大陸内部に限定されていたので全地球レベルの話ではなく、したがって「グローバリゼーション」ではない。だが、陸路の東西交通は、14世紀の「地球寒冷化」の影響で寸断されることになった。

ユーラシアの東西がふたたびつながるようになったのは、16世紀になってからのことだ。今度は西から東への動きである。しかも、陸路ではなく海路である。帆船技術の発達によって、長期にわたる大規模航海が可能となったのだ。

この動きは、16世紀の世界的な「シルバーラッシュ」と重なって「グローバリゼーション」を生み出すことになる。シルバーラッシュは、シルバー（銀）が大量に産出され、流通した事態をさしている。だが、ふたたびやってきた「地球寒冷化」の影響で1640年代には「国際商業ブーム」は終息し、世界各地で「鎖国」的状態がもたらされることになった。

「第1次グローバリゼーション」は経済と軍事の両輪で「外向きの時代」であり、地球全体に激動をもたらした「カオス」状況であった。

その対極にあるのが17世紀後半から18世紀にかけての「内向きの時代」であり、あらたな「秩序」形成と基礎固めの時代である。「第2次グローバリゼーション」が始まるのは1780年代以降のことになる。このように「グローバリゼーション」は永続せず、膨張と収縮を繰り返してきた。

## 「第1次グローバリゼーション」は1571年に始まった

性感染症の梅毒に注目したら、コロンブスが「新大陸」から持ち帰った梅毒が日本本土に到着した1512年をもってグローバリゼーションの始まりと見なしていいかもしれない。コロンブスが中米カリブ海から持ち帰った梅毒はヨーロッパで爆発的に感染が拡がり、回り回って日本にまでやってきたのだ。

ポルトガル人がはじめて種子島に来航した「鉄砲伝来」（1543年）より、「梅毒伝来」は30年も早いのである。梅毒は「新大陸」からヨーロッパに渡って大流行し、さらにインド洋と南シナ海と東シナ海を経て、「新大陸」とは地球の反対側にあたる戦国時代の日本に到達している。以後、日本では江戸時代をつうじて梅毒の蔓延が続くことになった。

とはいえ、経済という観点から考えれば、スペインがフィリピンにマニラを建設した1571年を「第1次グローバリゼーション」の始まりとすべきだろう。「グローバリゼーション」が1571年から始まったとするのは、『グローバル化と銀』の著者で経済史が専門のデニス・フリン氏の見解だが、スペインが東南アジアのフィリピン諸島を植民地化し、首都マニラを建設したことから「第1次グローバリゼーション」が始まったのである。

それは、いったいどういうことか、これから説明していこう。

「グローバリゼーション」は、1820年代の英国から始まったという説が有力である。というのは、この時代に経済成長が明らかになったことが経済統計からわかるからだ。いわゆる「産業革命」のまっただ中のことである。

だが、一方ではグローバリゼーションは地球が一体化した時点から始まると考えたほうが自然ではないだろうか。15世紀から始まった、いわゆる「大航海時代」が「グローバリゼーション」の前提となったという考えだ。

ユーラシア大陸の西端のポルトガルから始まり、おなじくイベリア半島のスペインがそれに続いた、地球規模の探検航海と国際貿易の時代である。ポルトガルは地球を東回りで、スペインは西回りでアジアまでやってきた。ポルトガルは、スパイス（香辛料）を直接手に入れるためモルッカ諸島にやってきた。スペインが本格的にやってきたのは、太平洋航路が発見されたあとのことだ。

なぜ、スペインが本国から遠く離れたフィリピンを植民地化するに至ったのか。スペインがはじめてフィリピンに到達したのは、マゼランの世界一周航海の1521年のことであった。だが、マゼラン自身はフィリピンのセブ島で現地人に殺されている。カトリック改宗と服従を強要したマゼランに反感が強まったためである。マゼランの死後、残りの隊員がスペインまで帰還したことで世界一周は完成した。

その後、1529年になってスペイン領となり、フィリピンと命名されることになった。時のスペイン国王フェリペ2世にちなんだものである。このとき、中南米だけでなくフィリピンも領有するに至ったスペインは「太陽の沈まぬ帝国」とよばれるようになっていた。

19世紀の大英帝国の先行者といってよい。

その後、1571年にマニラが建設され、マニラを中継地にした中国とメキシコ（ヌエバ・エスパーニャ）を結んだ「ガレオン貿易」とよばれた太平洋航路が開設され、「新大陸」のシルバー（銀）がマニラを経由して中国に流れ込んでいくようになった。

**16世紀には世界最強となっていたスペイン**

フェリペ2世時代に欧州最強となり、「太陽が沈まぬ帝国」となったスペイン。そのスペイン帝国を支えていたのがシルバー（銀）だ。16世紀当時は、ゴールドではなくシルバーが富の象徴であった。その銀をいかに手に入れるかが、権力者にとっての最大関心事となっていたのだ。スペインは、まず植民地化した中南米のペルーとメキシコで銀を確保することに成功していた。いわゆる「新大陸」である。

フィリピンがスペインの植民地となったのは、その最中のことだ。「新大陸」で採掘された銀はメキシコからスペイン本国に向かうものもあったが、メキシコからフィリピンに向かうものもあった。そして、その先に向かったのが中国だ。

スペインが東南アジアのフィリピンを植民地化し、首都マニラを建設したことからグロ

## 16世紀のスペイン領土

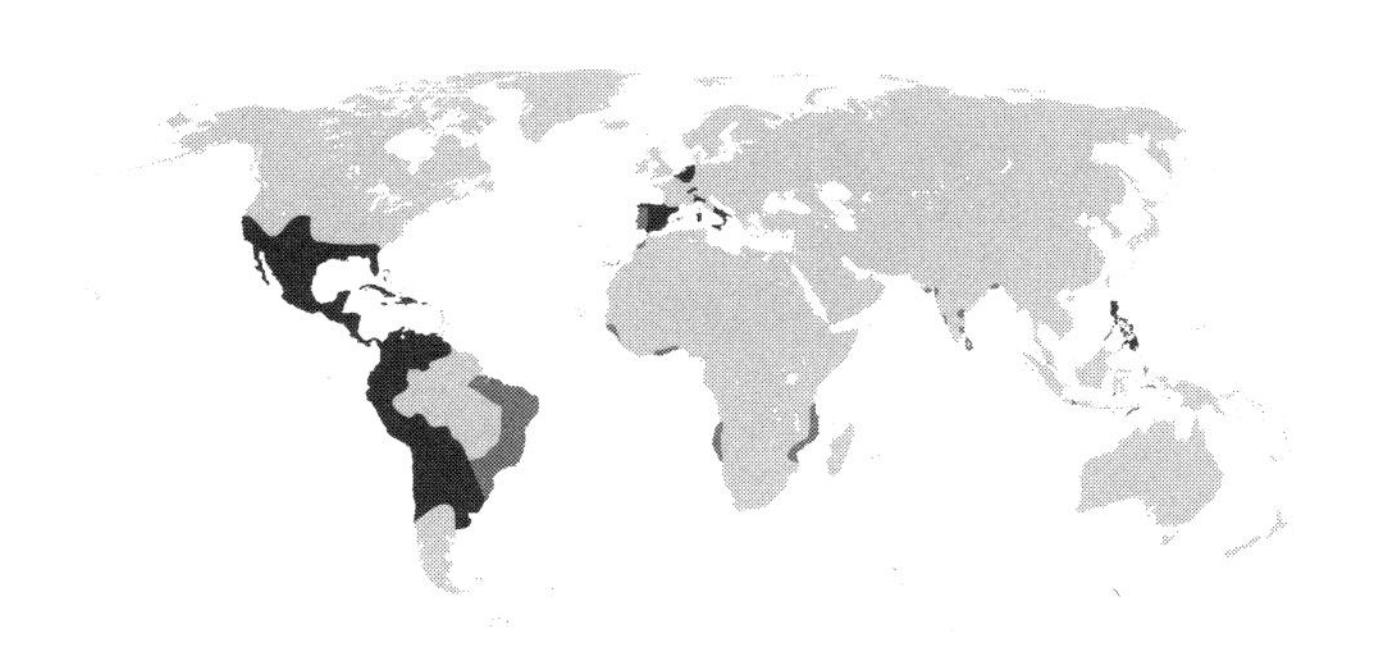

ーバリゼーションが始まったというのは、こういうことだ。アジアを舞台にして、ユーラシア大陸の中国とスペイン、そして中南米が結びついたことで、地球全体が結びつく経済体制ができあがったのである。

では、すこし時計の針を戻して、ポルトガルとスペインが覇権争いをしていた時代に触れておこう。この覇権争いとその解決策が、日本とその周辺の東アジア（東南アジア含む）にきわめて多大な影響を与えることになったからである。

## 最初にポルトガルが動きだした

スペインもポルトガルも、いずれもユーラシア大陸西端のイベリア半島に位置している。イベリア半島は、かつてイスラーム化されていた。スペインもポルトガルも、ともにイスラーム王朝から独立したことで、国家建設を始めたことは共通している。

さらにさかのぼれば、この地は古代ローマ帝国の版図に含まれており、ローマ帝国を支える人材供給源として重要な位置を占めていた先進地帯であった。『自省録』で有名な皇帝マルクス・アウレリウスも、イベリア半島にルーツをもつ一族の出身である。

7世紀にアラビア半島で誕生した宗教イスラームは、創始者ムハンマド自身が商人であったこともあり、ビジネスフレンドリーな宗教として受け入れられ、中東を中心に東西に拡大した。8世紀には地中海のマグリブに至り、その地のムーア人がジブラルタル海峡を渡って対岸のイベリア半島に上陸している。8世紀半ばにフランスのカール・マルテルとの戦いで阻止されるまで進撃を続けたが、結局ピレネー山脈が境界線となって固定化した。

イベリア半島では、それから約7世紀にわたってイスラーム王朝が栄えることになる。古代ギリシア文明を吸収したイスラーム文明は、この時代に絶頂期を迎えていた。ヨーロッパにおける知の中心の1つであり、古代ギリシア哲学のアラビア語からラテン語への翻訳事業が活発に行われていた。

現在でもイベリア半島には、イスラーム文明の名残がある。アルハンブラ宮殿やコルドバの旧モスクなどの建築物、アズレージョと呼ばれる美しいタイルにそれを求めることができる。イスラーム王朝が支配していた時代は、「寛容の精神」に貫かれており、キリスト教徒もユダヤ教徒も差別されることなく平和共存していた。経済を握っていたのは、国際的なネットワークをもつユダヤ教徒であった。彼らもまた、経済の中心の移動にともない、イベリア半島に移住してきたのである。

だが、イスラーム王朝の衰退にともない、独立を求める動きが活発化する。いち早く独

## 15世紀のイベリア半島

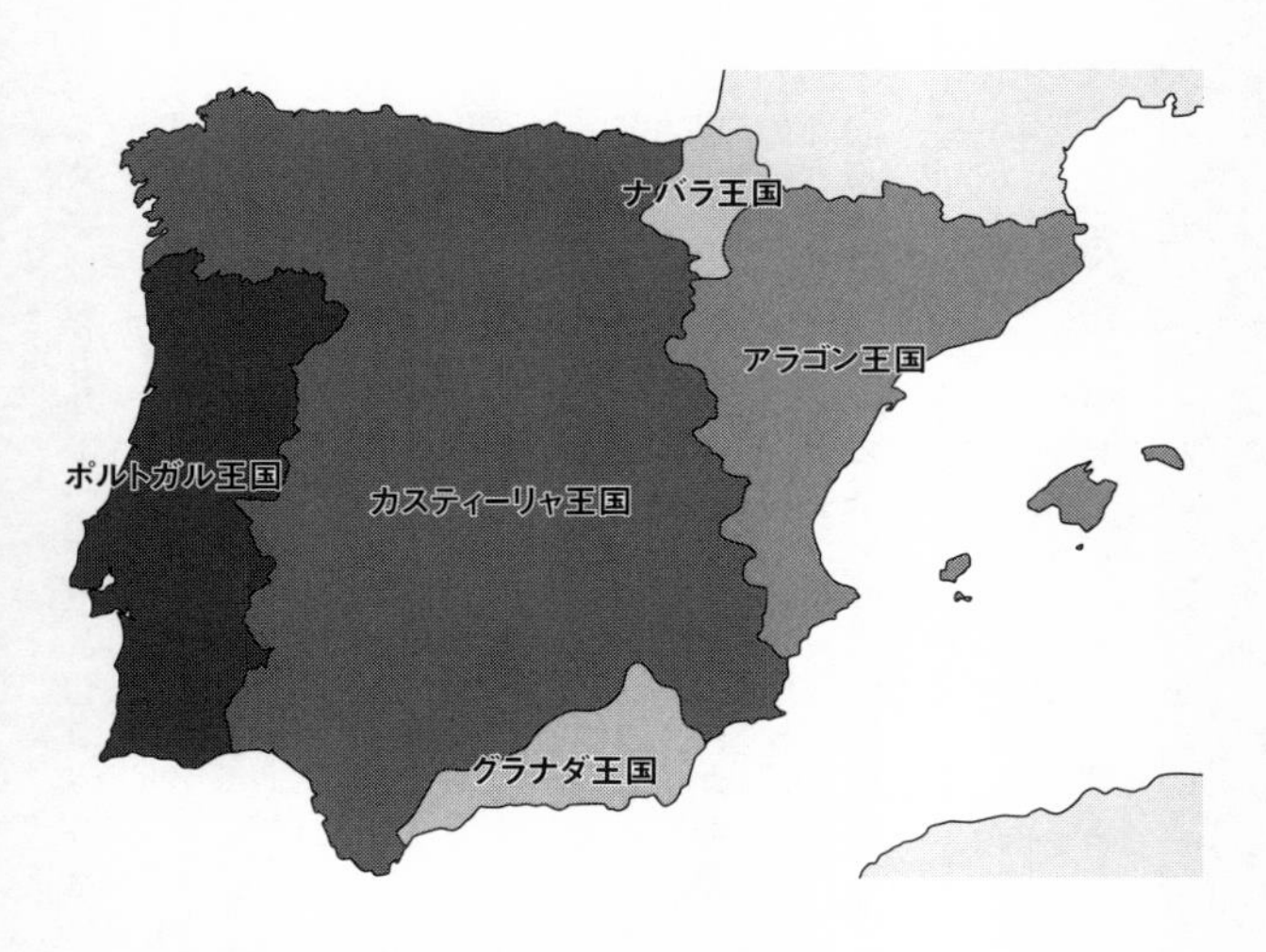


15世紀にはイスラーム王朝は
南部のグラナダ王国だけになっていた

立を勝ち取ったのがポルトガルである。13世紀の半ばには国家としての「独立」を実現している。言い換えればイスラーム文明からの「離脱」である。ポルトガルはキリスト教のカトリック王国として自立を目指すことになった。

ヨーロッパでもっとも早く「絶対主義」を確立したポルトガルは、15世紀の初めには北アフリカのモロッコ北端の要衝セウタを攻略、ここからいわゆる「大航海時代」が始まることになった。この時代を切り開いたのがエンリケ航海王子であり、彼の指導によって海外進出が本格化した。

ポルトガルが、ヨーロッパ諸国のなかではもっとも早く海外進出した理由は、人口増大が圧力となったことだけでなく地理的な位置関係も大きかった。

13世紀当時、地中海経済を仕切っていたのは、ヴェネツィアやジェノヴァといったイタリアの都市国家であり、15世紀にはオスマン帝国が台頭してくる。こういった経済強者たちとの直接的な競合を避けるために、別のルートをとる必要があった。

大西洋に面したポルトガルは地中海方向には進まずに、まずは大西洋に出て、無人島だったマデイラ諸島、アゾレス諸島に進出する。ポルトガルの探検家たちは、アフリカ大陸の西岸沿いに南下する。15世紀の終わりにはコンゴ王国に到達、アフリカ各地でアフリカ人を奴隷にしてマデイラ諸島その他に送り込み、サトウキビのプランテーション栽培を開始する。帆船の建造に必要な木材資源を収奪し、自然環境破壊を行いながら膨張を続けるモデルがここから始まった。この経済収奪モデルは、ポルトガルから始まって西欧諸国が追随することになる。

1488年には、アフリカ大陸南端の喜望峰まで回り、アフリカ大陸東岸を北上しながら、さらにインド洋を渡ることになった。

## スペインが独立した1492年

スペインが「独立」し、イスラーム文明から「離脱」したのは1492年のことである。ポルトガルに約3世紀遅れてのことになる。

この1492年という年は、ジェノヴァ人コロンブスが黄金の国ジパングを求めてスペインから出航し、「意図せざる結果」としてアメリカ大陸に到達した年として記憶されているだろう。だが同時にこの年は、コロンブスの航海に先だってスペインがグラナダ陥落によってイスラーム王朝を滅亡させ、その勢いでイスラーム教徒とユダヤ教徒を追放した年でもある。

1492年は、西欧諸国が地中海から大西洋にシフトし、「グローバリゼーション」を主導して全世界を覆い尽くしていくことになる発端となった。経済的な意味での「グローバリゼーション」は後述するように1571年から始まるが、その発端はスペインが独立した1492年であった。

ユダヤ人を追放したスペインは、ポルトガル以上に「純化」路線を推進することになり、カトリックを中心に据えた「不寛容の時代」のリーダーとなった。「純化」路線は推進力としては勢いをもつが、「不寛容」であるがゆえに持続性を欠くものとなったことは否定できない。この件は、スペインの歴史を見ていくことで明らかになる。

「スペインからのユダヤ人追放」（1492年）は、ユダヤ史においては20世紀の「ホロコースト」に匹敵するインパクトをもっている。追放されたユダヤ人には金融知識を備えた者が少なくなかったが、かれらを大量に受け入れたのがオスマン帝国である。都市国家ヴェネツィアを凌駕して地中海の覇者になったオスマン帝国の皇帝は、「スペインの王はなんとバカなのか」と言ったと伝えられている。

スペインから脱出せずに定住の道を選んだユダヤ教徒や、農民が中心だったイスラーム教徒は、カトリックへの改宗を迫られキリスト教徒となった。だが、ユダヤ人は「コンベルソ」（スペイン語で改宗者の意味）として、イスラーム教徒は「モリスコ」として差別の対象になる。

スペインから西隣のポルトガルに逃れたユダヤ人も多いが、ポルトガルでも弾圧が始まり、「マラーノ」（スペイン語でブタの意味）として差別されることになった。17世紀には、宗教的に「不寛容」なポルトガルから、「寛容の精神」にあふれていたオランダに脱出した者も少なくなかった。17世紀オランダの黄金時代の一翼を担ったのもイベリア半島出身のユダヤ人たちである。「寛容政策」が経済的繁栄を実現し、「不寛容政策」が経済衰退を招いた事例は、歴史上ほかにも多い。

### 「トルデシリャス条約」による地球分割

イスラーム文明からの「離脱」によって勢いをつけたスペインは、先行するポルトガルとのあいだで、「新大陸」の覇権をめぐる争いを起こすことになった。

争いの仲裁に入ったのはローマ教皇である。ともにカトリック国であったポルトガルとスペインは、国王を超えた上位の権威であったローマ教皇の裁定に従うことにしたのである。それが「トルデシリャス条約」（１４９４年）だ。この条約によって、両者のテリトリーが確定することになった。これを「デマルカシオン」という。線引きのことである。『米中戦争前夜』の著者で、「トゥキディデスの罠」というフレーズで有名な政治学者のグレアム・アリソン教授は、ポルトガルとスペインの覇権争いは、戦争によることなく平和裏に解決したことを高く評価している。というのも、この後の500年間に発生した覇権争いの大多数が、戦争で決着がついているからだ。戦争に訴えることなくスムーズに覇権交代が行われたのは、英国から米国への移動など、事例としてはきわめて少ない。

ポルトガルの勢力圏は、ヨーロッパからみて地球の東半分、スペインの勢力圏は西半分として確定することになった。境界線が引かれたのは子午線の西経46度37分で、その結果、ブラジルがポルトガルの領土となり、それ以外はスペインの領土と確定した。現在でも中南米ではブラジルだけがポルトガル語で、それ以外はすべてスペイン語地域であるのはそのためだ。ポルトガルがブラジルを「発見」したのは1500年のことである。それ以後、ポルトガルによるブラジルの植民地化が進んだ。

ところが、条約が締結された1494年の時点では地球の反対側の境界線は定まっていなかった。問題が浮上したのは、スペインが派遣したマゼランによる世界一周航海の生き残りが、1522年にスペインに帰還したことによる。問題の焦点は、スパイス諸島とよばれていたモルッカ諸島の帰属にあった。

そもそもポルトガルが海外進出で目指していたのは、ヴェネツィア商人などの中間商人の手を通さずに、コショウなどのスパイスを入手することにあった。ダイレクトな海上ルートであれば、税関やセキュリティ関係のコストダウンが可能で、販売価格低下と収益確保が同時に実現できるのである。現在ではすっかりコモディティとなってしまったコショウだが、この時代では一攫千金の希少財だった。

地球の反対側の境界線問題は「サラゴサ条約」（1529年）によって解決されることになった。モルッカ諸島から東へ17度進んだところに境界線を定め、モルッカ諸島のポルトガル領有が確定したことで決着した。スペインがフィリピンを領有することになったが、ポルトガルはとくに異議は唱えていない。条約によればポルトガルのテリトリーのはずだが、経済面から考えたらモルッカ諸島のほうが重要性がはるかに高かったためであろう。

問題はむしろ条約の当事者以外の第三者にあった。というのも、「サラゴサ条約」で定められた境界線が、なんと日本列島の真上を通っていたのだ。

日本列島の大半はポルトガルの勢力圏となり、カトリックの宣教はポルトガル王国をバックにつけたイエズス会が主導することになった。だが、1580年にスペイン国王がポ

## 「トルデシリャス条約」と「サラゴサ条約」による「デマルカシオン」

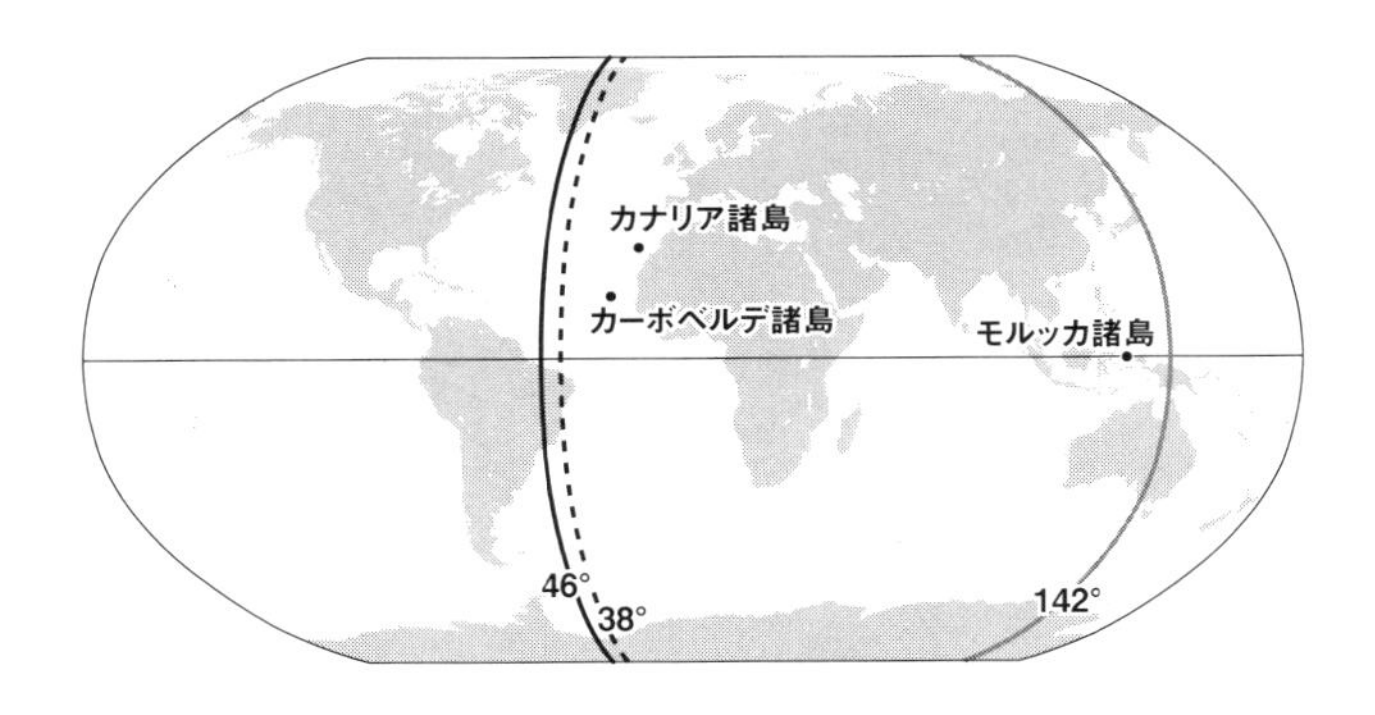


- - - - 教皇子午線（1493）
—— トルデシリャス条約（1494）
—— サラゴサ条約（1529）

ルトガル国王を兼ねて同君連合になると、スペイン系の修道会が日本宣教の権利を主張し実行、日本を舞台に激しい競合状態が生じることとなった。このためキリスト教は日本で共倒れとなった。

現在でも、いわゆるグローバル企業が、営業権やブランド使用権の範囲を勝手に設定してテリトリー分割を行っていることを考えれば、トルデシリャス条約とサラゴサ条約は、その先駆的形態といっていいのかもしれない。

### 「地球分割」後のポルトガルの東漸と「海洋勢力」

話をすこし前に戻すが、「トルデシリャス条約」に基づいてポルトガルの探検家の東進はさらに進み、1498年にはヴァスコ・ダ・ガマがインドに到達し、この後、インド西岸のゴアに拠点を確保して、インドに「副王」を配した統治を開始する。

もともと、インドから西のペルシア湾やアフリカ大陸までのインド洋は、アラブ商人やインド商人が活発に貿易を行っていた海域であった。ポルトガルはあとからやってきた侵略者であり、帆船に搭載した大砲の威力を背景にした武力侵攻であった。ヨーロッパが先行した軍事テクノロジーの発達については、のちほど詳しく見ることにしたい。

ポルトガルは軍事力を行使しながら、インドからマラッカ、さらにはマカオへと勢力圏を拡張していく。マラッカは、インド洋経済圏とシナ海経済圏が交差する中継貿易地点であり、マラッカを制覇したことはポルトガルにとっては大きな意味をもつことになった。さらに南シナ海を北上し、中国ではマカオを確保し、さらに日本へと至ることになる。

この間のポルトガルについては、ポルトガルの国民詩人カモンイスの『ウズ・ルジアダス』（1572年）に歌い上げられることになった。ユーラシア大陸最西端のロカ岬にある、「ここに地終わり海始まる」という碑文はそこからとられたものだ。カモンイスはマカオまで渡航したものの、本国に帰還してこの作品を書いている。だが、現地人と結婚して土着していったポルトガル人のほうが多い。日本に来たポルトガル商人は、こうして現地化した人びとが大半であった。

## 鄭和の艦隊とポルトガル艦隊は遭遇することはなかった

ポルトガルは地球を東回りに西からやってきたが、その反対に、西回りで中国からやってきたのが鄭和の大艦隊である。明朝初期に帝位を甥から奪って3代皇帝となった永楽帝のときだ。ムスリムで宦官であった鄭和は軍功をあげて永楽帝から重用され、大艦隊を率いてアフリカ大陸東岸まで何度も遠征することになる。

14世紀以来の「倭寇」の侵攻に悩まされた明朝は、倭寇と沿岸部住民の分断を図るため、1371年には「海禁令」を発布し、官民問わず私的な理由による出港を禁じていたが、永楽帝は、すこしでも多くの朝貢国を増やして、明朝の威光を世界に示したかったのである。ある意味ではデモンストレーション効果を狙った航海であったといえよう。

鄭和が、第1回航海に出帆したのは1405年のことだった。その10年後にポルトガル人はモロッコのセウタを占領している。だが、鄭和の大艦隊は、アフリカ大陸南端の喜望峰を越えて大西洋に入ることはなかった。北方遠征中に永楽帝が陣没してから6年後の1430年に始まり、3年間にわたった第7回目の航海を最後に、その動きは止まった。

ポルトガルが喜望峰を「発見」したのは1488年のことであり、鄭和の大艦隊とポルトガルの遠征隊は遭遇することはなかった。もし50年のタイムラグがなかったら、鄭和の艦船は、同時代のポルトガルの帆船よりはるかに巨大であり、ポルトガルに勝ち目はなかったであろう。明朝は、その後は「内向き」体制を志向し、陸上勢力としての性格を強めていくことになる。元朝の時代は国際商業が活発化された時代であったのに対し、漢民族の王朝となった明朝は、きわめて排他的で閉鎖的な「鎖国」ともいうべき体制を採用していた。

現在、中国が推進している「一帯一路」の「一帯」は海上ルートのことをさしている。中国の指導者の念頭にあるのは、明朝初期の永楽帝の時代の鄭和の大艦隊による遠征航海であることは言うまでもない。

## 「コロンブスの交換」
## ――ヨーロッパと「新大陸」は天然痘と梅毒を交換した

「ジパング」に向かったコロンブスが「新大陸」を「発見」したのは1492年、その年から始まったヨーロッパの爆発的な拡大期のことだが、1532年にはスペインの征服者ピサロが、インカ帝国の皇帝アタワルパを捕虜にしてしまった。インカ帝国皇帝は4万人に守られていたのに対して、ピサロの軍勢はわずか168人（！）にもかかわらず、だ。

なぜいとも簡単にインカ帝国は滅亡するに至ったのか？　なぜヨーロッパとインカ帝国の立場は逆にならなかったのか？　この謎に正面から取り組んだのがジャレド・ダイアモンド氏の世界的ベストセラー『銃・病原菌・鉄』である。

スペイン人が持ち込んだのは、じつは「銃と軍馬」だけではない。インカ帝国を滅亡させたのは「病原菌」であった。ヨーロッパ人が「新大陸」に持ち込んだ天然痘などの感染症に、「新大陸」の住民はまったく免疫がなかったのだ。だから、きわめて短期間のうちに人口の大半が死滅してしまったのである。戦闘における死者よりも、感染症による死者のほうがはるかに多かったのだ。この惨状は、インカ帝国だけでなく、中南米の各地で発生している。

だが、話はそれで終わったわけではない。1492年の航海でコロンブスが持ち帰ったのは梅毒であった。ヒトからヒトに感染する性感染症である。梅毒はスペインからヨーロッパに上陸して、たちまちのうちに感染爆発を引き起こしただけではない。地球全体に感染が拡大したのだ。

ヨーロッパから西回り航路でポルトガル人がインドに持ち込んだのが1498年前後のことで、ここまで約6年、さらにマレー半島のマラッカを経由して16世紀のはじめには明朝時代の中国の広東に達し、港づたいに北上して、中国全土に感染が蔓延することになった。

日本には中国から伝来している。日明貿易と倭寇、あるいは琉球王国との貿易をつうじて戦国時代の1512年に伝来した。ホンモノの「ジパング」には到達しなかったコロンブスだが、初航海のわずか20年後には梅毒は地球を一周して「ジパング」に到達していたのである。その後、日本では貴賤上下を問わずに感染が拡大し、結城秀康や大谷吉継などのように梅毒に倒れた武将も少なくない。

ヨーロッパが「新大陸」に持ち込んだ天然痘に対して、ヨーロッパは梅毒を持ち帰ることになったのだが、この状況をさして「コロンブスの交換」とよぶことがある。お互い様というべきか、免疫がないところでは感染症は一気に拡大してしまうのである。

もちろん、「コロンブスの交換」でヨーロッパが得たのは梅毒だけではない。トウモロコシやジャガイモといった作物は、ヨーロッパで慢性化していた飢餓状況を緩和させることにつながった。このほか、カボチャやサツマイモ、タバコやトマト、さらにはトウガラシも伝来し、ヨーロッパからさらに中国や日本など東アジアにも拡がったことで、多くの人びとを飢餓から救い、料理に変化をもたらすことになったのである。

## 東アジアはグローバル経済の中心だった！
## ――中国の巨大な引き寄せ力

「アジアの時代」といわれるようになって久しい。21世紀の現在、世界経済の中心がアジアにあることは、ことさら強調するまでもないだろう。アジアを舞台に当事者である中国や日本やインド、韓国や台湾、それに東南アジアの企業だけでなく、米国や欧州のグローバル企業が活発にビジネス展開し、互いにしのぎを削っている状況にある。

いまから400年前の世界、すなわち16〜17世紀にかけてもまた、アジアはグローバル経済の中心であった。というよりも、「第1次グローバリゼーション」が始まった時点で、世界経済の中心はアジアだったのである。

経済学者アンガス・マディソンの長期経済統計によれば、「第2次グローバリゼーション」の初期段階であった1820年頃までは、アジアが世界人口の70％を占め、GDPの60％前後を占めていたとされている。経済史家のケネス・ポメランツによれば、18世紀後半まで中国の江南デルタ地帯や日本の畿内の1人あたりGDPは、西欧と同レベルであったとされる。1600年時点の経済規模は、2020年時点の100分の1程度しかなかったので、具体的な金額を出してもあまり意味はないだろう。

つまり、本書で取り扱う16世紀から17世紀にかけてだけでなく、18世紀まで、世界経済の中心はアジアだったのだ。欧米中心の世界になってから、たかだか200年程度に過ぎないのである。むしろ、18世紀は「豊かなアジアと貧しいヨーロッパ」という対比が崩れ始めた時代だと捉えていいかもしれない。現代の「常識」をそのまま過去にあてはめると、大きく間違うことになりかねないのである。

## 中国が世界最大の人口だった

ここで、1600年の時点での各国の人口を確認しておこう。比較のために共通の指標で見ていくことにする。

マクエヴェディーとジョーンズの推計（1978年）によれば、アジアでは中国が1億6000万人、インドが1億3500万人と突出しているが、日本は2200万人、朝鮮は500万人であったと推測されている。スペインとポルトガルをあわせて1050万人（比率はスペインがポルトガルの6倍程度）、英国（＝ブリテン諸島全体）で625万人、オランダは150万人であった。現在と比べると、ずいぶん人口が少なかったと思うとともに、各国ごとの人口格差はあまり変わっていないな、という思いも抱くことであろう。

人口規模からみても、アジアがヨーロッパよりも豊かであったことを示している。それは、人口を支えるだけの食糧が生産可能だったということだ。この状況が変化し、ヨーロッパの人口が増加していくのは、「新大陸」からジャガイモやサツマイモ、トウモロコシなど、あらたな栽培植物の品種がもたらされ、食えるようになってからだ。

新大陸からやってきた栽培植物は、西欧人の手を経てアジアにももたらされることになる。人口増加が17世紀に実現した日本を除き、西欧でも中国でも18世紀になってから著しい伸びを示すことになる。とくに中国は18世紀には1世紀のあいだに人口が倍増し、人口大国への道を歩き始めている。『人口論』（1798年）の著者マルサスが、「中国は世界でもっとも肥沃な国であり、土地のほぼ全体で耕作が行われ」ていると述べているとおりだ。

17世紀に人口の伸びがなかったのは「地球寒冷化」のためだ。1645年から1715年まで太陽黒点が消えた「マウンダー極小期」に入って、地球規模で寒冷化が進み、その結果、食糧生産に被害が出て全般的に飢餓状況が拡がっている。そのため人口が減少している地域が世界的に多いのである。この件については、第3章で詳しく見ることにする。

**際だって生産性が高かった中国の「江南デルタ」**

中国で際だって農業生産性が高かったのが、「江南デルタ」の農業地帯であった。江南デルタは中国の長江（＝揚子江）の下流域に位置する三角州である。上流から運ばれてきた肥沃な土壌が、世界最高級の生糸を生み出していた。

上流の湖北省に建設されていた三峡ダムが2009年に完成して以来、長江のもつこの機能が大幅に失われてしまったようだが、世界各地で上流のダム建設で下流域に問題がしわ寄せされるようになっているのは憂慮すべきことである。

江南デルタの中心は現在の上海である。地理的には日本列島からもっとも近い中国だ。このデルタ地帯が、綿花と生糸（養蚕は桑の葉の栽培をともなう）の一大生産地となった。

中国や日本と西欧との差が開き始めたのが、18世紀末から19世紀初頭にかけての時期のことだ。この間に西欧では「アメリカ独立革命」と「フランス革命」、さらにこの2つよりもさらに深くて大きな影響をもたらした英国の「産業革命」が発生している。先にあげたポメランツの著書のタイトル『大分岐』とはそういう意味だ。アジアとヨーロッパとの差が開き始めた分岐点となったのである。

この時期については、すでに拙著『ビジネスパーソンのための近現代史の読み方』で取り扱っているのでここでは省略するが、いずれにせよはっきりしているのは、16世紀から17世紀の時点では、むしろアジアのほうが西欧よりもはるかに発展していたという事実である。そして、その中心にあったのが明朝時代の中国だ。

すべての目が中国を向いていたのである。中国に隣接した朝貢国の朝鮮だけではない。日本の戦国大名たち、とくに九州の諸大名は、軍資金つくりのため中国との貿易を熱望していた。中国の周辺諸国や諸民族はもちろん、遠く西欧の人間も中国に憧れをもっていたのである。

中国のシルク製品や陶磁器に対する憧れは半端なものではなく、きわめて高額で取引されていたのであった。経済学者ゾンバルトが『恋愛と贅沢と資本主義』（1912年）で主張したように、贅沢品への欲望が人びとを駆り立てたのである。中国以外には、これらの製品をつくることができなかったから、誰もが中国に目を向けたのだ。日本もまた例外ではなかった。

## 中国と日本に引き寄せられていた西欧

「知は力なり」の名言を残したフランシス・ベーコンという人物がいる。「17世紀科学革命」の先陣を切って、実験と観察にもとづく科学を提唱したイングランドの政治家だ。遺作となったユートピア小説『ニュー・アトランティス』（1626年）の冒頭は、太平洋経由で中国と日本をめざして出帆したが、漂流して孤島「ベンサレムの国」に漂着したという設定になっている。

1492年のコロンブスが「黄金の島ジパング」を目指していたことは、日本人なら知らない人はいないだろう。ヴェネツィア商人マルコ・ポーロの『東方見聞録』から、すでに2世紀以上もたっていたが、いまだ東洋は魅力に充ち満ちた世界として、西欧人のイマジネーションをかき立てていたのである。

イングランドのジェームズ1世は日本との貿易に関心をもっていた。聖書の英語訳として有名な『欽定訳聖書』（King James Version）の「キング・ジェームズ」である。ベーコンはジェームズ1世の側近として仕えていたこともあり、中国や日本のことは当然話題に上っていたことだろう。この頃には、すでに中国も日本も幻想の国ではなくなっていた。

イングランドはジェームズ1世の時代に平戸に商館を開いていたが、1623年には日本市場から撤退している。1626年の中国は明朝末期、すでに日本では江戸幕府の3代将軍家光の治世であった。イングランドが中国との貿易を開始したのは18世紀になってから で、「広東システム」のもと、英国はイギリス東インド会社によって最大の貿易国となる。

いきなりイングランドにまでいってしまったが、最初にアジアに到達した西欧人は、よく知られているようにポルトガル人である。だが、ポルトガル人が現れる前からアジアには経済圏が存在しており、繁栄していたのである。

**ポルトガル人が登場する前のアジア**

ポルトガル人が登場する前のアジアがどんな状態だったのか、見ておくことにしよう。モンゴル帝国の最盛期であった13世紀の「地域経済圏」について図示しておこう。米国の都市社会学者アブー＝ルゴドの『ヨーロッパ覇権以前—もうひとつの世界システム』に示されているものだ。

ユーラシア大陸とその周辺海域に中規模の経済圏が、それぞれ周辺部で重なりながら分布していることが見てとれるだろう。西から東に見ていくと、北西ヨーロッパ、南ヨーロッパ、イスラームのエジプトと中東、インド西部とインド東部、中国、となる。ユーラシ

## 13世紀の地域経済圏

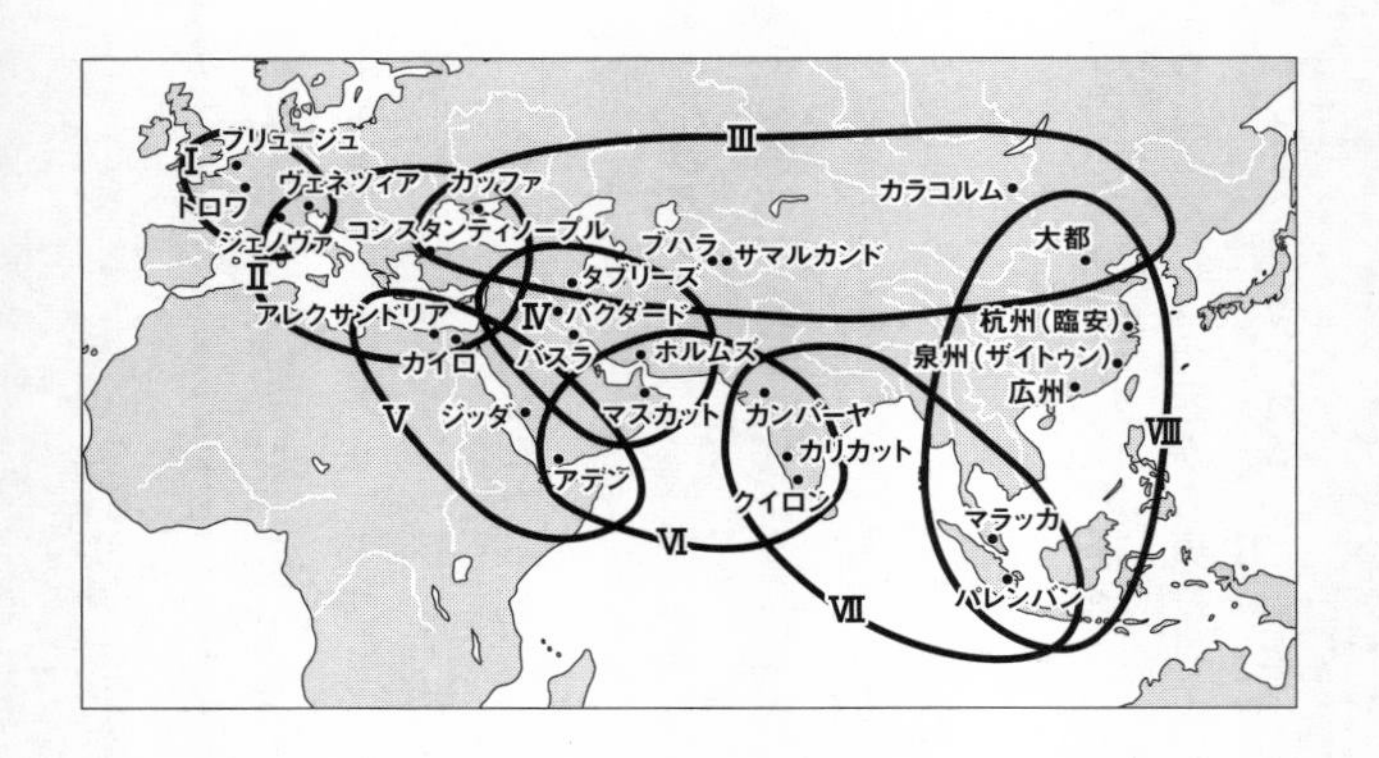


出所：アブー＝ルドゴ『ヨーロッパ覇権以前』(2001)所収の「13世紀世界システムの8つの回路」をもとに作成

ア大陸を東西につないでいるのがモンゴル帝国である。

ユーラシア大陸全体を横断して支配したモンゴル帝国の成立によって、ユーラシア大陸を東西に移動する「陸路」ができあがったのである。だが、14世紀の寒冷化によるモンゴル帝国の崩壊後は、ふたたび元に戻ってしまった。

モンゴル帝国以前は「海路」が中心であったが、モンゴル帝国崩壊後もふたたび「海路」中心に戻っていた。だが、中規模な地域経済圏を越えて移動するケースはほとんどなかった。それぞれが自己完結型の地域経済圏であったからだ。

## マラッカが東端となるインド洋経済圏、南端となるシナ海経済圏

地域経済圏として、まずインド洋について簡単に見ておこう。インド洋はインドの東西と南に拡がる大洋である。

インド西海岸のマラバール海岸から中東の紅海まで拡がるのが、インド洋の西半分に位置するアラビア海だ。この海域では古代からインド洋交易が活発であり、中世以降はイスラーム商人やグジャラート商人を中心とするインド商人が活発に往来し、貿易を行っていた。

インド東海岸のコロマンデル海岸から東に拡がるのが、インド洋の東半分に位置するベンガル湾だ。この海域でもインド商人が活発に往来し、貿易を行っていた。また、マレー半島をはさんで対岸のタイランド湾には、アユタヤやパタニなどの港市が発達しており交易が活発に行われていた。

インド洋の東端に位置していたのがマラッカ王国だった。マラッカは、インドと東南アジア、そして中国との海上交通の接点でもあった。マラッカの北にはタイランド湾と南シナ海、その北には東シナ海がある。

当時の船は帆船であった。帆船の動力は風である。海上移動は風任せであった。5月から10月にかけては、南西のモンスーンが吹く。11月から4月にかけては反対に、北東のモンスーンが吹く。南西のモンスーンの時期には、中東のイスラーム商人やインド商人がマラッカに来航し、中国商人や琉球商人は本国に帰航する。北東のモンスーンの時期には、その逆の動きとなる。

季節風(モンスーン)にまかせて、中国のいわゆるジャンク、インド洋のダウ船が来航する。ここで両者の「出会貿易」が行われたわけだ。

## 15世紀マラッカ王国の交易

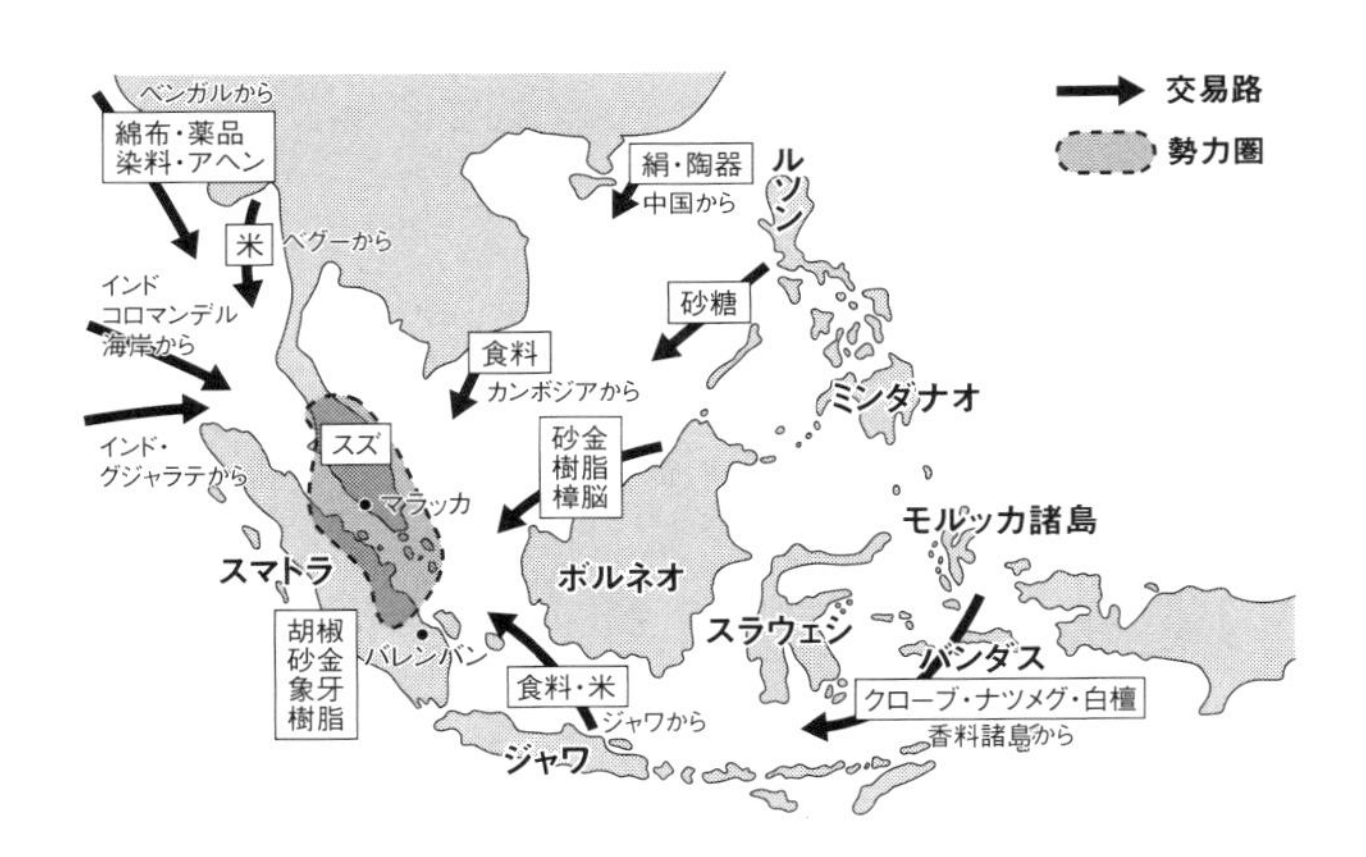


出所：『マラッカ物語』（鶴見良行、時事通信社、1981）

## 「交易の時代」の東南アジア

15世紀から17世紀にかけての東南アジアは、「交易の時代」(The Age of Commerce) とよばれる経済活況期を体験していた。この表現は、オーストラリアの歴史学者アンソニー・リードの著書のタイトルから来ている。この時代の東南アジアをざっと見ておこう。

「交易の時代」は1450年代から1680年代にかけての時期であるが、この時期はポルトガルをはじめとしたスペイン、オランダやイングランドなど西欧勢力が参入してきた時期と重なっている。だが、西欧諸国のなかで一番最初に登場した15世紀ポルトガルは、既存の貿易ルートに上乗りしただけであり、港市マラッカを中心とした地域経済圏は、それとはまったく関係なく活況を呈していた。

この時代には、東南アジアではイスラーム化が進んでいる。トルコからバルカン半島、さらにはエジプトを中心とした地中海に版図を拡大していたオスマン帝国、サファヴィー朝ペルシア帝国、インドのムガル帝国とユーラシア大陸南部はイスラーム化されており、ムスリムのインド商人がイスラームをもたらした。

イスラームは、そもそもユダヤ教とキリスト教を媒体に生まれた一神教であり、ある意味ではキリスト教におけるプロテスタントの先駆的な存在でもあった。創始者のムハンマド自身が商人だったこともあってビジネスフレンドリーな宗教であり、貿易の実利を求めたマラッカ王国の国王もイスラームを受け入れ、フィリピン南部のミンダナオ島、スマトラ島やジャワ島もイスラーム化されていった。マラッカ王のイスラーム改宗は、日本のキリシタン大名と理由はおなじである。貿易の利を求めたから、喜んでムスリムになったのである。これによって、地中海のアフリカ北部からインドネシアに至る地域がイスラーム圏となった。

ポルトガルやスペインが主導したカトリック宣教が強調されがちだが、ほぼ同時進行でイスラーム圏の東方への拡大が実現しているのである。イベリア半島からはイスラーム勢力が駆逐されたが、イスラーム圏は東方に拡大した。「第1次グローバリゼーション」時代には、キリスト教世界だけでなく、イスラーム世界も拡大したことを知っておく必要がある。

### 「港市」として発展した東南アジア都市

すでに見たマラッカだけでなく、東南アジアではアユタヤ、パタニ、プノンペンといった都市もまた、この当時は交易で大いに栄えていた「港市」であった。「港市」とは、海岸や河川に面した水上交通のステーションを中心に、交易ネットワークに基盤を置いた「国家」のことだ。

タイランド湾からチャオプラヤー川をさかのぼること約75㎞に位置するアユタヤは、現在は工業団地が立地する地方都市であるが、かつてはシャム王国の首都であった。18世紀後半のビルマ軍の侵攻によってアユタヤが壊滅したのち、首都は下流のバンコクに移されて現在に至っている。バンコクもまた河口から40㎞ほど内陸にある。

カンボジアの首都プノンペンもまた港市であった。東南アジアの大河メコン川が、アンコールワットの北部に位置するトンレサップ湖から流れ出るトンレサップ川と合流する分岐点に位置している。16世紀にはアユタヤやパタニと同様、プノンペンに世界各地から人びとが集まってきており、日本人町も存在した。アンコールワットに、いまでも残る落書きをした森本右近太夫は、おそらくプノンペンの日本人町に在住した日本人なのだろう。

マレー半島の東岸の港市パタニはイスラーム王朝となっていたが、アユタヤとプノンペンは上座部仏教の王国が栄えていた。イスラーム化されたパタニ王国は20世紀初頭にタイ王国に併合されたが、現在でも分離独立運動がある。

## 交易の結節点にあった港市マラッカ

インド洋経済圏と中国周辺海域の結節点が、マラッカ海峡にある港市マラッカであった。マラッカ王国は関税が安く、外国人商人から選ばれた4人の港務長官（＝シャーバンダル）が置かれて貿易取引を取り仕切っていた。シャーバンダルとは、ペルシア語由来のことばである。

マラッカは、15世紀から16世紀にかけてが絶頂期であったが、その後はゆるやかに衰退していった。現在ではすっかりシンガポールの陰に隠れてしまっているが、ポルトガルからオランダ、そして英国、マレーシアと支配者が交替していったマラッカには、数々の世界遺産が残されており、人気のある観光地となっている。

港市マラッカについては知らなくても、マラッカ海峡については聞いたことがあるだろう。日本が輸入する原油の8割は、このマラッカ海峡を通過する。ペルシア湾のホルムズ海峡を通過したタンカーはインド洋を航行し、マラッカ海峡を通過して南シナ海、そして東シナ海を経て日本の港湾に来る。ヨーロッパ方面からの貨物船もマラッカ海峡を通過することに変わりはない。マラッカ海峡は、21世紀の日本の生存にとって死活的な意味をもっている。

だが、マラッカ海峡を利用するのは日本だけではない。中国も台湾も韓国も同様だ。なんと年間10万隻の船舶が通行する世界一通行量の多い海峡なのだ。マラッカ海峡はホルムズ海峡とともに、地政学でいう「チョークポイント」である。シーパワーを制するに当たり、戦略的に重要となる海上水路なのである。

### 南アフリカ回りでインド洋からシナ海まで進出したポルトガル人

インド洋経済圏やシナ海経済圏など、地域別の経済圏がふたたびつながったのは、あらたにポルトガルというプレイヤーが出現してからのことである。ポルトガルはスパイスを求めて東南アジアまでやってきた。まずは、インドのゴアを手に入れて貿易の拠点を確保し、その後マラッカも領有するに至った。ポルトガルは、面として押さえたのではなく、点と線を結ぶ形で勢力圏を拡大していったことになる。

インド洋経済圏の東端マラッカは、同時にシナ海経済圏の南端にあたる。マラッカを押さえたポルトガルが、さらに中国を目指したのは当然というべきだろう。だが、ポルトガルはあくまでも新参者であり、シナ海の海域は、すでに中国商人の活動の場であった。となると、おのずから選択肢は限られてきたのであり、その答えは「倭寇」の仲間に入れてもらうことであった。

倭寇は、前期の15世紀においては日本人が中心だったが、後期の16世紀から17世紀にかけては中国人が中心となり、日本人や朝鮮人、琉球人などが加わるという形になっていた。これに加わったのがポルトガル人だ。１５４３年にポルトガル人が種子島に来航して、日本人に火縄銃を伝えたというエピソードは有名だ。王直という倭寇の頭目が率いる船隊に便乗する形で種子島に来航したのである。

その後、ポルトガルは中国拠点を確保することに成功した。海賊退治に協力したことで、１５５７年には明朝からマカオに居留が認められ、中国との直接貿易が認められなかった日本にかわって、ポルトガル商人はサードパーティーとして「マカオ＝長崎ルート」で巨利をあげることが可能となった。スパイス諸島とよばれたモルッカ諸島が新興国オランダに奪われたあともこの「マカオ＝長崎」ルートはドル箱であり続けたが、17世紀半ばの幕府によるポルトガル断交で、このビジネスは完全に終止符を打たれた。

ポルトガルが「マカオ＝長崎ルート」で巨利をあげることができたのは、日本がシルクを求めており、その対価としてシルバー（銀）をつかっていたからだ。貿易のみならず、日本と中国で銀交換比率に差があることを利用してアービトラージ（さや取り）を行っていたからである。

## 贅沢品のシルク（絹）を求めて世界中のシルバー（銀）が「巨大なブラックホール」中国に吸い込まれた

1980年代に始まった「第3次グローバリゼーション」の前夜から、日本からの「直接投資」が引き金となり、米国を含めて世界中のカネを「ブラックホール」のように吸収して高度成長を成功させたのが21世紀の中国だ。2018年には中国には約1400億ドルの直接投資が流入している。現在世界第2位の経済大国となった中国は、覇権を奪われまいとする米国とのあいだで激しい経済戦争のまっただ中にある。

16世紀もまた、世界中からシルバー（銀）を吸い込む「ブラックホール」だったのが中国だ。中国の豊富な物産、とくにシルク（絹）製品や陶磁器など、当時は中国でしか生産できなかった製品に対する憧れが、シルバーの産出国となった日本や、植民地とした「新大陸」でシルバーを産出したスペインを中国に殺到させることになったのだ。まさに「シルクロード」の逆方向が「シルバーロード」だったわけだ。

この状況をさして「シル・シル交換」とよんだらいいと思う。その心は「シルク」と「シルバー」の交換だ。英語ならSilver for Silkとなる。「新大陸」に攻め込んだスペインの征服者たちについては、「Ｇｏｄ（神）を伝えてＧｏｌｄ（黄金）を奪い取った」という冗談めいた比喩で語られることもあるくらいだから、これくらいは許されるだろう。

「地大物博」を誇る巨大な中国市場を目指したこの時代のメジャープレイヤーは、日本とスペインであった。日本と中南米の銀山から産出されたシルバーがもたらした「シルバーラッシュ」が世界を変えたのである。

## 世界最高級のシルクを生産していた中国

なぜ世界中のシルバーが、ブラックホールに吸い込まれるように中国に向かったのか？その理由を考えるには、まずは当時の明朝の経済について知る必要がある。

明朝は、モンゴル帝国の一部だった元朝の崩壊後、中国南部から起こってきた漢民族の王朝だ。基本的に元朝以前の南宋時代に始まった「江南デルタ」における稲作が経済の基本にあったが、「江南デルタ」で稲作が難しくなり、かわってインドから伝来した綿花と、生糸の生産に必要な桑の栽培と養蚕が盛んになった。その結果、世界最高級の生糸の一大生産地となったのである。浙江の湖州・嘉興・杭州がもっとも養蚕が盛んで、湖州府産の

「湖糸」とよばれた白糸がもっとも有名であった。

需要サイドの状況も見ておこう。日本の支配者は、絹織物を必要としていた。戦国時代後期から木綿が普及するようになっており、一般庶民のあいだで麻から木綿へのシフトが進んでいたが、支配階層はシルクを着ることで、目に見える形での差別化を図っていたのである。そのため、絹織物を中国に求めたのであった。

そして、シルクを欲しがる日本が対価として提供したのが日本銀である。16世紀後半以降、国内の銀山開発で豊富に銀を産出するようになった日本だが、明朝は1525年以降、日本との直接貿易を許さなかったので、日本に来航する中国商人や、新規参入者であったポルトガル商人などサードパーティーに依存して絹織物と生糸を確保するようになる。

江戸時代になってからは、厳格な身分制度により「服装規定」が定められていた。絹織物を着ることができるのは武士以上であり、農民は着ることを禁じられていた。絹織物は京都の西陣や博多などを中心に盛んになっていたが、戦国時代に国内の養蚕が衰退していたこともあり、どうしても国内品の生糸では要求水準を満たしていなかった。高級生糸は中国産に限られていたので、あらゆる調達ルートを押さえてでも入手する必要があったのである。

生糸の輸入は、ポルトガルが担っていた「マカオ＝長崎」の仲介貿易に頼っていたが、「島原の乱」後には、幕府はオランダに代替させたほか、薩摩藩経由の琉球ルート、対馬藩経由の朝鮮ルートも利用していた。琉球王国と朝鮮王国はともに朝貢国であり、中国皇帝からの下賜品としてシルクと生糸があったので、これを日本銀と交換したのであった。

**銀を必要としていた中国**

明朝は「朝貢一元体制」を築き、貿易は朝貢関係にのみ限定するという、事実上の「鎖国」体制を敷いていた。国際経済重視の元朝時代とは正反対に、貨幣と商業を排除し、貨幣経済を否定するという時代に逆行した政策であった。だが、そんな体制が長続きするはずがない。１４３６年には税糧の納入に銀で代用することがデファクトで認められ、16世紀の中頃から始まった「一条鞭法」は、あらゆる納税を銀納で一本化したものであり、16世紀末には全国に普及していった。

銀の需要が増していくにしたがって中国国内の銀山は枯渇し、雲南の銀鉱の開発が中心になっていくが、雲南銀でもまかないきれないときに入ってきたのが「洋銀」であった。

### 1600年前後における銀の移動

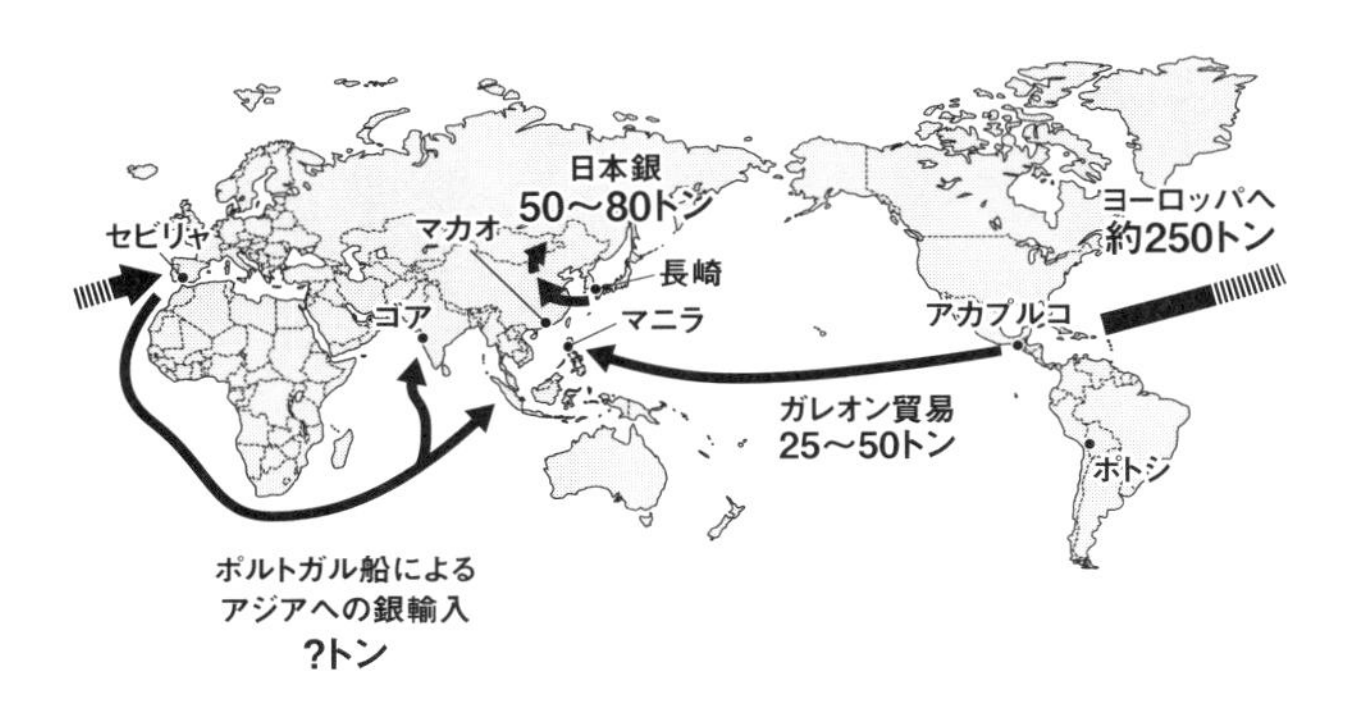


出所：岸本美緒『東アジアの「近世」』（山川出版社、1998）

洋銀とは外国産の銀のことであり、日本銀や新大陸銀のことである。

先に見たように、シルクを必要とする日本は日本銀をもたらし、１５７１年にマニラが建設されガレオン貿易が始まると、シルクを欲しがるスペインが新大陸銀（シルバー）をもたらした。世界中の銀が中国へ向かうようになったのだ。この結果、民間の経済活動が活発になり、明朝の「鎖国」体制は事実上の崩壊へと向かった。

## 「北虜南倭」状況で銀は南から北に流れた

「鎖国」政策を行っていた明朝は、いわゆる「北虜南倭」状態にあった。明朝は、つねに北方からの脅威にさらされており、その対策のための軍隊を駐屯させていて、多額の戦費が必要であった。また南方では、海の向こうからの脅威にさらされていた。

「北虜南倭」について説明しておこう。「北虜」とは、北方のモンゴル族や女真族などの脅威のことだ。女真族は満洲族ともいうが、クロテンの毛皮と朝鮮人参の交易で銀を手にして富を蓄積していたツングース系民族である。かつて12世紀から13世紀にかけて金王朝によって中国北部を支配していたこともある。その後、17世紀初めにはヌルハチに率いられた女真族は国名を「後金」とし、さらに「清」と改めたのち、ヌルハチの孫の時代に最終的に明朝を滅亡させ王朝交替を実現している。

「南倭」とは、読んで字の如く、南方海域で荒らし回った「倭寇」のことである。14世紀の「前期倭寇」は主として瀬戸内海・北九州を本拠とした日本人が中心で一部が高麗人だったが、15世紀以降の「後期倭寇」は中国人主体になっている。「前期倭寇」は、朝鮮半島南部の沿海部を中心に中国沿海部まで活動していたが、元朝から明朝に移って以降、足利義満が明朝に朝貢した勘合貿易の発展によって、日本人が主体の倭寇は消滅した。「後期倭寇」は、私貿易を行う中国人が中心となったが、名称はそのまま倭寇が使い続けられた。日本人の格好を偽装し、活動を行っていたからだ。明朝の「海禁政策」を回避するためマラッカ、シャム、パタニなど南洋に移住した浙江省と福建省出身の華人が中心であった。一部には九州沿岸部の日本人も含まれていたようだ。

後期倭寇は、東シナ海の海域を舞台に掠奪と交易を行った集団だが、中心は密貿易にあった。「鎖国」体制をとる明朝が、「朝貢貿易」と「海禁政策」という管理貿易にこだわったため、自由貿易を求めた勢力が武力に訴えたのである。

16世紀から17世紀にかけての後期倭寇は、石見銀山などで豊富に産出された「日本銀」を手に、中国の物産の「押し買い」を求める武装集団であった。最初は日本銀、その後は

「新大陸」の銀がスペイン経由で中国に流入することになったが、商品と引き替えに流入してくるシルバーは、中国北方にブラックホールのように吸い込まれていった。

### 世界の銀の3分の1は日本が産出していた

16世紀当時の日本はまさに「黄金の国ジパング」であった。金銀銅のすべてを産出した日本は、世界有数の資源国だったのだ。マルコ・ポーロが『東方見聞録』で紹介したジパングだが、じっさいは黄金よりも銀のほうが産出量ははるかに多く、世界経済に大きな影響を与えていたほどだ。

16世紀末から17世紀初めにかけての世界の銀産出量は約42万kgで、そのうち日本銀が世界の銀産出量の3分の1を占めていたと推計されている。世界の銀生産は17世紀の最初の20年間にピークに達し、その後は減少傾向に転じている。

この銀のおかげで鉄砲を大量に購入することが可能となり、天下統一を早める結果となったわけであり、後に見るように16世紀最大の戦争となった「朝鮮の役」が断行されることにもなったのである。

16世紀初めまでは、日本が中国と朝鮮に金を輸出して、そのかわりに銀を輸入する体制

## 16〜17世紀の世界銀・金平均1か年産出高

| | 年次(年) | 産出量(kg) |
|---|---|---|
| 銀 | 1561〜1580 | 299,500 |
| | 1581〜1600 | 418,900 |
| | 1601〜1620 | 422,900 |
| | 1621〜1640 | 393,600 |
| 金 | 1521〜1544 | 7,160 |
| | 1545〜1560 | 8,510 |
| | 1561〜1580 | 6,840 |
| | 1581〜1600 | 7,380 |
| | 1601〜1620 | 8,520 |
| | 1621〜1640 | 8,300 |

出所:小葉田淳『日本鉱山史の研究』(岩波書店、1968)

だったが、16世紀後半からは逆転している。戦国大名の富国強兵策で日本各地で鉱山開発が活発化し、生野銀山や石見銀山など有力な銀山が発見され、大規模な銀山開発が行われるようになった。さらに、「灰吹き法」とよばれる精錬法が朝鮮から伝わったこと（もともとは中国の技術であったようだ）もあって生産性が向上、豊富な銀の生産が可能となったのである。このため、金銀交換比率における日本銀の暴落を招き、銀の輸出に拍車をかけることになったのであった。

銀が枯渇傾向になったのちは、銅が輸出されることになる。17世紀後半以降は、日本銅が中国とヨーロッパに輸出されることになった。つまり、当時の日本は資源国であり、現在のオーストラリアがそういわれているように「ラッキー・カントリー」であったわけだ。豊富な鉱物資源があったからこそ、日本のプレゼンスがきわめて大きかったのである。

## 「新大陸」のシルバー（銀）が中国に流れ込んだ

ヨーロッパでは、もともと南ドイツが銀生産の中心であった。１５１６年にベーメンのヨアヒムスタールに銀鉱山が開発、ターレル銀貨が発行され、そのターレルがなまってダラー（＝ドル）となっている。

ドイツの銀山が枯渇してきた頃、じつにタイミングよく「新大陸」で銀山が発見された。スペインの植民地となっていたペルーのポトシ銀山とメキシコのサカテカス銀山である。新大陸では、南ドイツで使用されていた精錬法の「水銀アマルガム法」が高度化されて生産性向上に大いに寄与している。ちなみに、家康はスペインに水銀アマルガム法の導入を依頼したが、日本では水銀の調達が容易ではないので定着しなかった。

スペインの鉱山開発は、基本的に先住民の奴隷労働に依存したものであった。スペイン国王のカルロス1世(=神聖ローマ皇帝カール5世)は奴隷労働を禁止しているが、現場では黙殺されていたようだ。鉱山開発はビジネスベースの民間事業にまかせ、分業体制で経済的インセンティブを利用した日本とは大きな違いである。具体的には、鉱山の所有と経営は完全に分離され、山師という経営者のもとに、プロセス別に採鉱・選鉱・精錬が分業形態をとっており、それぞれがさらに職務ごとに細分化され、多種多様な職人や単純労働者がかかわっていた。日本の鉱山開発が中国と朝鮮を上回ったのも、このおかげであった。

銀にかんしては、アダム・スミスは『国富論』(1776年)の第1編の第11章「過去

4世紀における銀の価値の変動にかんする余論」という長編の論考で取り上げているので、そのごく一部を引用しておこう。なお、ペルーの銀とは、ポトシ銀山のことをさしている。

ペルーの銀は、ヨーロッパに販路を見出しているばかりでなく、さらにヨーロッパを経てシナにいたる販路を見出しているのである。（…中略…）ペルーで銀鉱山が発見されると、その後ヨーロッパ銀鉱山の大部分は廃坑になってしまった。（…中略…）

東インドに向けて航行する大部分のヨーロッパ船の積み荷のなかで、一般に銀がもっとも貴重な物品のひとつであった。またマニラに向けて航行するアカプルコ船でも、銀はもっとも貴重な物品なのである。このように新大陸の銀は、それによって旧大陸の両端間で通商が行われる主要商品のひとつであるように思われるし、世界のこれら遠隔地がたがいに結びつけられているのも、銀の媒介によるところがたいへん大きいのである。

アダム・スミスが指摘しているように、新大陸の銀はヨーロッパを経由して中国に流れているが、それ以外にもマニラ経由で中国に向かったものがあった。アダム・スミスが日本の銀に言及していないのは、日本銀がヨーロッパを経由することなく、そのままダイレクトに中国市場に投入されていたからであろう。

新大陸から流入した銀は、中国では馬蹄銀という銀塊の形か、外国製のコインのまま流通していた。いわゆる墨銀とよばれていたメキシコ銀のコインである。不思議なことに、一般庶民がつかう銭（ぜに）にかんしては、日本から銅を輸入して銅銭を発行していた清朝だが、銀貨を鋳造することは最後の数年までなかったのである。偽造・変造も多く、しかも地方によって秤が異なるので、計算がきわめて複雑だったようだ。銀は額面価値ではなく、含有量で計算される秤量貨幣として流通していた。

この点は、東日本の金遣い、西日本の銀遣いという違いはあったものの、金銀銅によって独自の通貨を発行し、全国で度量衡を統一した江戸時代の日本とは大きく異なっている。日本が実質的に「主権国家」となっていたのに対し、同時代の中国は「帝国」として存在していた。

## 「銀経済圏」に入っていた西日本

信長から秀吉、そして家康によって天下統一された日本だが、意外と知られていないことに、江戸時代をつうじて「通貨統一」はされていなかった。金銀が大口の取引に使用され、日常生活では清朝と同様に銅銭が使用されていた。大坂を中心とする西日本は「銀遣い」という「銀本位制」、江戸を中心とする東日本は「金遣い」という「金本位制」という別体系であった。いわば「銀本位制」と「金本位制」が共存する「金銀複本位制」が、江戸時代の日本であった。

明治維新以降の日本近代の財政と通貨制度は、英米アングロサクソンを中心とした「金本位制」を採用することになるが、江戸時代にすでに「金本位制」に片脚を突っ込んでいた日本は、この面でも比較的スムーズに対応が可能だった。この点もまた、「銀本位制」だった中国との違いである。

金本位制は、さまざまな問題をはらみながらも、1971年のニクソン・ショックによる米ドルの金兌換停止移行まで続いたが、先進国のほとんどはゴールドの裏付けを必要としない「管理通貨制度」に移行している。

ではなぜ、江戸時代の日本では、西日本が「銀本位制」で東日本が「金本位制」だったのか？　東日本は平泉の金色堂に代表されるように、奥州の黄金王国・藤原三代の支配があった土地だ。佐渡の金山も有名だ。一方、経済先進地である畿内では、中世以来、銀による取引になじんでおり、国際的な銀決済圏のなかにあった。シルバーでシルクを買っていたのである。

西日本経済は、中国とオランダと貿易関係にあったため、国際的な銀決済システムに組み込まれており、このためインフレが発生しやすかった。この状況は、銀の流入によって物価上昇がおこったヨーロッパも同様である。いわゆる「価格革命」である。幕府が「鎖国」を実行した理由の1つとして、貿易制限と管理貿易化によって銀の流出を抑止したことがあげられている。

江戸時代の初期には、幕府が意図的に「金銀複本位制」にしていたという側面もあったようだ。銀本位制の西日本ではインフレ傾向になりやすく、金本位制の東日本は逆にデフレ傾向になりやすかったので、一国内で金本位制と銀本位制を使い分けていたという説もある。金銀の交換比率は、日本国内でも国外でも変動していたため、実質的に変動相場制であり、そのための両替商が発達していた。

18世紀後半の田沼意次の時代には、金貨でもって「通貨統一」を試みたが、両替商の猛反対にあって改革は挫折、通貨統一は明治4年（1871年）の「円」の誕生まで実現しなかった。日本円の歴史も、まだ150年ほどしかないのである。

## スペインの対外拡張主義と未遂に終わった「中国征服計画」

西洋史の文脈においては父親の神聖ローマ皇帝カール5世（スペイン王としてはカルロス1世）はきわめて大きな存在だが、世界史という観点からみたら、フェリペ2世のほうがはるかに重要な人物である。なぜなら、フェリペ2世のときに、地球上のすべての大陸がスペインのもとに一体化することになったからだ。

すでに見たように、1571年にスペインが領有化したフィリピンにマニラを建設したとき「第1次グローバリゼーション」が始まったからである。フィリピンは、フェリペ2世にちなんだ命名だ。

フェリペ2世は、その全盛期には地球上の各地に領土をもち、「太陽の沈まぬ帝国」とよばれた「スペイン帝国」に君臨した国王だった。なんと「地球だけでは足りない」とまで豪語していたらしい。19世紀から20世紀半ばにかけての大英帝国の先駆者といえよう。

手を広げすぎて財政破綻を招き落日を迎えたフェリペ2世のスペインに対して、対抗するかのように対外拡張路線をとったのが同時代の秀吉の日本であった。スペインも日本も銀に裏打ちされた経済力をもっていたのだ。まずは、フェリペ2世時代のスペインについて見ておこう。

## フェリペ2世はなぜカトリック擁護にこだわったのか

地球全体に領土を拡張し、「太陽の沈まぬ帝国」とよばれた「スペイン帝国」だが、これはあくまでも俗称であり、真の「帝国」ではなかった。スペインは、「複合君主制」であったに過ぎないのであり、フェリペ2世自身が皇帝であったわけではない。ビザンツ帝国（＝東ローマ帝国）滅亡後、ヨーロッパでは神聖ローマ帝国が唯一の帝国だった。彼の父カルロス1世は、神聖ローマ帝国の皇帝としてカール5世でもあったが、その息子であるフェリペにはその夢は叶わなかった。

ここで「複合君主制」について簡単に説明しておこう。2つの王国で国王を兼任する「同君連合」はヨーロッパの歴史上そのケースは多い。「複合君主制」は、さらに複数の王国の国王を兼任する形態だ。フェリペ2世の場合も、カスティーリャ、レオン、アラゴンと続くスペイン各地の領土の国王を兼任していたのである。あまりにも煩瑣なので、スペイン国王としているに過ぎない。

フェリペ2世の「スペイン帝国」のように、地球上に散在する広大な領土を支配するにあたっては、統合するシンボルが必要である。基本的に緩やかな支配であったからなおさらだ。人種的にも民族的にきわめて多様で異なる伝統をもち、しかも地域ごとの特殊性にもとづいたさまざまな特権があったから、統合シンボルがなければ統治は難しい。

そこで統合のシンボルとなったのが、カトリック擁護という姿勢だった。というよりも「カトリック擁護」しかなかったのであろう。だからこそ、カトリック擁護に躍起になったわけであり、カトリックからみて異端であるプロテスタント勢力は、宗教的にも世俗の権力としても容認するわけにはいかなかったのである。

世俗的な問題にかんしては、スペインはローマ教皇の意向にはかならずしも従っていない。にもかかわらず、宗教という側面においてはカトリック信仰を擁護し、副王を置いたヌエバ・エスパーニャ（メキシコ）やペルーなどの植民地を含め、新たな支配地ではカトリック宣教を推進したのである。

## 対外拡張主義とカトリック擁護が招いた財政破綻

「太陽の沈まぬ帝国」に君臨したフェリペ2世だが、その晩年は「落日」を予感させるものがあった。

カルヴァン派で反カトリックのネーデルラント7州の「独立戦争」や、おなじく反カトリックのイングランドとの「アルマダの海戦」（1588年）など、度重なる戦争で財政が疲弊、3度にわたって「国庫支払停止宣言」を出している。

スペインが強国となった最大の理由は、「新世界」のペルーとメキシコで銀山を発見したことで豊富な銀を所有することになったことにあるが、この銀はスペインを素通りして、債権者であるジェノヴァやネーデルラントの国際銀行家の手に流れていった。

フェリペ2世は、国家財政が火の車状態だっただけでない。配偶者を含めた相次ぐ近親者の不幸もあった。カトリック国だったので離婚はできなかったが、王妃となった女性とは次々と死別し合計4人と結婚している。しかも晩年には、彼自身の肉体が、まさに落日の諸相を示していたのだ。痛風に苦しんだ晩年を送っているのである。

71歳で没したフェリペ2世だが、奇しくもその5日後の1598年9月18日（グレゴリオ暦）に61歳で病没した秀吉は、フェリペ2世とは「対外拡張主義」という点で共通点があった。同時代に生きたフェリペ2世と秀吉は直接の対面はなかったものの、間接的には会っている。フェリペ2世も秀吉も、イエズス会がローマに派遣した「天正遣欧少年使節」の4人と直接対面しているからだ。伊東マンショを筆頭にした4人の少年使節は、1584年にスペインの首都マドリードでフェリペ2世に歓待されている。帰国した翌年の1591年には、秀吉に招かれて聚楽第で会っている。この際に、フェリペ2世の話題が出たかもしれないと想像してみるのも面白い。秀吉はスペインの植民地であったフィリピンに出兵する可能性もあったのだ。まさに奇しき縁というべきだろう。

## 「アルマダの海戦」で「無敵艦隊」が敗れる

ユーラシア大陸の西端では、世界帝国となったスペインと新興国イングランドのあいだで戦争が行われた。「アルマダの海戦」（1588年）である。スペインの「無敵艦隊」がイングランドに敗れた海戦だ。

当事者のフェリペ2世とエリザベス1世もまた、奇しき縁の持ち主であった。フェリペ2世と結婚したイングランド女王メアリー1世はカトリックで、子どもが生まれないまま病死。その妹のエリザベスは、メアリーとは違って父親ヘンリー8世以来の「国教会」を継承、メアリー1世死後に求婚されたフェリペ2世からの申し出を拒絶している。

気候にめぐまれない島国で、カネのないプロテスタント国のイングランドは、海上ではカトリック国のポルトガル船やスペイン船に対して海賊行為を働き掠奪していた。世界の銀の3分の2を産出していたスペインとはきわめて大きな経済格差があったのだ。

この海賊行為を行った船を「私掠船」（プライヴァティーア）という。勅許によって海賊行為を合法的に認められたのである。「アルマダの海戦」の英雄キャプテン・ドレイクもまた海賊あがりで、のちにロイヤル・ネービーとなる海賊船隊を率いて大いに貢献し、エリザベス1世から爵位を与えられ貴族になっている。英国のエリート層には、その祖先が海賊あがりの者が少なからずいるわけである。「伝統」が強調されがちな英国の貴族だが、海賊は英国人の進取の気性をよくあらわしているといえよう。

「アルマダの海戦」では、スペインの「無敵艦隊」はイングランドに敗れている。スペイン無敵艦隊は、スコットランド沖を回ってカトリック国のアイルランドに寄港してからスペインに戻る予定であったが、嵐に翻弄され、多くの艦船に多大な被害がもたらされたのだった。

とはいえ、スペインの「無敵艦隊」はただちに再建され、イングランドが制海権を握ったわけではない。スペインもイングランドもともに財政負担が増大し苦しむことになったが、基本的に新旧勢力どうしの覇権争いの一環と考えるべきであろう。

## 宣教師たちが熱望していたスペインによる「中国征服」

「グローバリゼーション」がもたらしたのはカオス状態であった。貪欲なまでの欲望と、カネのチカラでなんでもできるという幻想に支えられていたのだ。だから、武力で中国を占領するなどという考えが出てきたのである。

ここでふたたび視野を世界経済の中心であった東アジアに転じてみよう。

もともと、中国征服はスペインの出先である植民地フィリピンで計画されていたものだった。マニラの歴代総督は、植民都市マニラを単なる交易上の拠点として見なしていたわけではない。アジア全域への前進基地と捉えていたのである。そもそもフィリピンはマゼランの世界一周航海で「発見」されたものだが、マゼランの目的はコロンブスにできなかった中国と日本を獲得することにあった。

宣教師たちは、人口大国の中国を支配すれば、大規模に布教が可能だと考えた。1600年当時の中国の人口は1・5億人で、スペインはポルトガルとあわせて1050万人だったから、約15倍であった。ちなみに当時の日本は2200万人であったと推計されている。経済活動と宗教活動を一致させた、いわば「宗経一致」といってよいスペインは、中国を商品供給先としてだけでなく、カトリック宣教の対象として見ていたのである。だから、マニラ総督が、中国に対する軍事的侵攻とカトリック布教を一体のものとして考えていたのは当然のことであった。

どうやら、出先のマニラでは、日本のキリシタン大名をつかえば中国征服は簡単に実行可能と考えていたようだ。おそらく、南米大陸のように簡単に征服できると想定していたのだろう。ところが中国はインカ帝国ではなかった。スペインによる中国武力征服計画は、まさに「机上の空論」でしかなかった。

スペインによる中国征服計画は、結局国王フェリペ2世が却下したことで立ち消えになった。「慎重王」とか「書類王」などのニックネームで呼ばれていたフェリペ2世は、マニラから送られてきた計画書をエル・エスコリアル宮殿に籠もって、じっくり読んで精査したのであろう。『キリシタン時代の研究』（高瀬弘一郎）によれば、1576年のフィリピン総督からスペイン国王とメキシコ副王に送られた「中国武力征服計画」の提言に対して、フェリペ2世は、翌年1577年の4月に以下の内容の返書を送っている。

「目下のところこのような企ては適当ではない。中国人とは当面は友好関係を保ち、努めて中国人の怒りを買うことはないように配慮するよう命じる。ただし、もし今後、中国についてさらに詳細な情報が得られ、それまでの政策を改めたほうがよいということになれば、そのときにはしかるべき措置を命じる」というものであった。きわめて穏当な回答といえよう。

ただし、『帳簿の世界史』（ジェイコブ・リール）の記述によれば、大帝国のすみずみにまたがる、こまごまとした政務にたずさわりながらも財政には無知であり、会計は理解していなかったらしい。晩年には複式簿記を導入する会計改革を命じたようだが、はたしてビジネスベースで考えて中国を征服するメリットがないと判断したかどうかは定かではない。

いずれにせよ、スペインによる中国武力征服計画は、未遂のままに終わったのである。20世紀半ばの満洲の関東軍のように、植民地の出先の軍隊が暴走することはなかった。

ところが、「中国征服」を考えていたのはスペインだけではなかった。秀吉もまたそうだったのだ。

## 日本で開発されたイエズス会の信者獲得メソッドは「異文化マネジメント」だった

16世紀半ばに日本から始まった東アジアにおけるカトリックのイエズス会によるキリスト教宣教だが、ユダヤ・キリスト教的な伝統をまったくもたない日本や中国といった高度文明の異文化地域に移植するのは、そう簡単なことではなかったようだ。

試行錯誤のなかで模索されたのは、キリスト教の原理原則を曲げることなく、その土地の文化を内在的に理解し、自らを適応させたうえで、教えを無理なく伝えるための方法である。

ビジネスパーソンとして日本で30年以上を過ごしたイタリア人ヴィットリオ・ヴォルピ氏の著書『巡察師ヴァリニャーノと日本』と『賢者の「営業力」──日本進出の成功例、宣教師ヴァリニャーノの教え』によれば、イエズス会の東インド地域の巡察師として現地での布教の状況を監督していたイタリア出身のアレッサンドロ・ヴァリニャーノが体系化した方法論のエッセンスは、以下のとおりである。

●現地語に習熟、現地の文化と風習を学んで適応することから始める
●現地に大幅な権限委譲を行い、かつ現地人の担当者を育成する
●将来、現地の統轄をまかせることのできる現地人責任者を育成する教育を現地で行う

海外現地進出にあたっての心得であり、そっくりそのままビジネスに応用できるメソッドである。400年前に実践から導き出したこのメソッドは、いわば、「現場発の方法論」であったといえよう。ヴァリニャーノの意義は、現場で苦労してきた宣教師たちの実践に理論づけをし、布教の方法論として体系化したことにある。ヴァリニャーノは、日本宣教の成果を「見える化」して報告するため、「天正遣欧少年使節」をローマ教皇庁に送り込むプロジェクトを企画立案し、プロデュースしている。

中国宣教では、ヴァリニャーノの弟子であり、おなじくイタリア出身のマッテオ・リッチが徹底的に中国語と漢文をマスターし、文人たちと幅広く交友することから始めたのは、このメソッドの忠実な実行者であったことを示している。明朝末期に中国に渡ったマッテオ・リッチは中国名で利瑪竇（りまとう）と名乗り、儒者の格好で中国の知識人社会に溶け込むことに成功、ユークリッド幾何学や天文学、地理学など西洋の新知識を授けながら布教を行うスタイルを確立している。

ところが、現在では「インカルチュレーション」(inculturation) としてバチカンで公認されているこのメソッドは、清朝の康熙帝（こうきてい）の時代に「典礼問題」が発生したことで中国でのキリスト教布教が禁止されたこともあり、20世紀まで忘れ去られることになった。

アレッサンドロ・
ヴァリニャーノ

マッテオ・リッチ

## 16世紀最大の戦争「朝鮮の役」は「海洋勢力・日本」と「大陸勢力・中国」の激突

1571年に植民地フィリピンにマニラを建設したスペインは「中国征服計画」を抱き続けたが、結局は国王が却下したため未遂に終わった。

実際に「中国征服計画」を実行に移したのは日本であった。天下統一したばかりの豊臣秀吉である。しかも、中国を狙っていたのはスペインや秀吉だけではない。北方の満洲ではツングース系の女真族（＝満洲族）のヌルハチもまた虎視眈々と狙っていたのである。秀吉の野望は、けっして妄想ではなかったのだ。

天下統一が完成したばかりの日本は、ありあまる爆発的エネルギーのはけ口を海外に求めることになる。朝鮮半島を北上し、鴨緑江を渡って北京まで進軍する計画であった。日本は朝鮮に先導役を依頼したが断られ、その結果、強引に兵を進めることになる。これが16世紀最大の戦争といってよい「朝鮮の役」だ。銀（シルバー）が軍事力に転化したとき、何が引き起こされるかを示している。戦国時代という内戦を生き抜いてきた日本は、豊富な銀と強大な軍事力を背景に、16世紀後半には世界の列強として急速にメジャープレイヤーにのし上がっていた。

結論からいうと、秀吉の野心は失敗に終わった。まさに竜頭蛇尾であった。だが、朝鮮半島を舞台にした日本との戦争で財政が底をつき、明朝の弱体化に拍車がかかることになる。秀吉の軍勢が撤退してから約40年後、女真族の清が明朝に代わって中国の天下をとることになった。中国争奪戦で最終的に漁夫の利を得たのは、女真族であった。

## 「朝鮮の役」という名称について

まずは名称の問題について整理しておきたい。かつて日本では「朝鮮出兵」と呼ばれたこともあるが、現在では「文禄・慶長の役」と戦争当時の日本の元号を使用した表現となっている。ただ、これはあくまでも日本側に立った命名である。

戦争当事国であった朝鮮と明ではどうなっているのか見ておこう。侵略する側とされる側、さらに侵略された側の援軍に入った立場は、三者三様で異なるはずだ。

直接侵略されて戦場となった朝鮮では「壬辰(じんしん)・丁酉(ていゆう)倭乱」と呼ばれている。「壬辰(じんしん)」と「丁酉(ていゆう)」は、それぞれ日本軍が侵略してきた年の干支である。「倭乱」とは「倭人」の「倭」

である。「倭寇」のイメージが投影されているわけだ。15世紀から朝鮮の沿岸地帯は倭寇の被害に苦慮してきた歴史があり、大軍勢で侵略してきた日本軍を大規模な倭寇と見なしたのも当然といえよう。

中国と朝鮮の漢文資料を精査した『文禄・慶長の役』（石原道博）によれば、中国では一般に「朝鮮之役」という表現が使用されてきたようだ。表現としては、これがもっとも中立的だろう。したがって、本書では「朝鮮の役」と表現することにしたい。

そもそも秀吉が意図していたのは、「唐入り（からいり）」とよんでいたように明朝を倒して征服することにあった。朝鮮半島が戦場となったが、実質的に日本軍と明軍との全面戦争になったのである。

## 秀吉は天下統一の2年後に朝鮮に軍事侵攻

「朝鮮の役」の最終目的は明朝打倒とアジア制覇であった。明朝を中心とした東アジアの支配という国際秩序に対する秀吉の挑戦であり、16世紀の世界最大規模の戦争となった。

軍隊の動員規模からみたら、「第1次侵攻」（1592～1593年）において日本軍は16万人弱であった。対する朝鮮軍と援軍に入った明軍の規模は、明軍は5万人強、朝鮮軍が17万人であり、朝鮮の義兵を含めると総計25万人弱となる。損害は、日本軍が少なく見積もって2万人強で、朝鮮軍と明軍をあわせて数十万人とされている（ただし、第1次侵攻と第2次侵攻をあわせた数字）。「第2次侵攻」（1597～1598年）は日本軍が14万人強で明軍が9万人強となっている。損害については不明である。

オスマン帝国軍がビザンツ帝国を滅亡に導いた「コンスタンティノープル陥落」（1453年）においては、オスマン軍の動員兵力は15万人であり、おなじくオスマン軍による「ウィーン包囲」（1529年）は兵力12万人であった。15世紀と16世紀の2つの大規模な陸戦と比べても、動員数からみたら「朝鮮の役」が勝っているにもかかわらず、「世界の戦史」に登場することがほとんどないのは、直接西欧社会に脅威を与えたわけではなく、軍事史の専門家たちから西欧中心主義が抜けきれないためでもあるだろう。

秀吉は、天下統一の余勢を駆って出兵したが、統一「完成」の必要上から出兵に踏み切ったと考えるべきである。国内に充満したエネルギーのはけ口を外に求めたとともに、国内ではすでに満たせなくなっていた報償としての領土を確保するためであった。このような例は歴史上いくらでもあるが、代表的な例はフランス革命後のナポレオンによる大陸制覇である。

**「朝鮮の役」における日本軍と朝鮮支援に入った明軍の進路**
**「第1次侵攻」（1592）と「第2次侵攻」（1597年）**

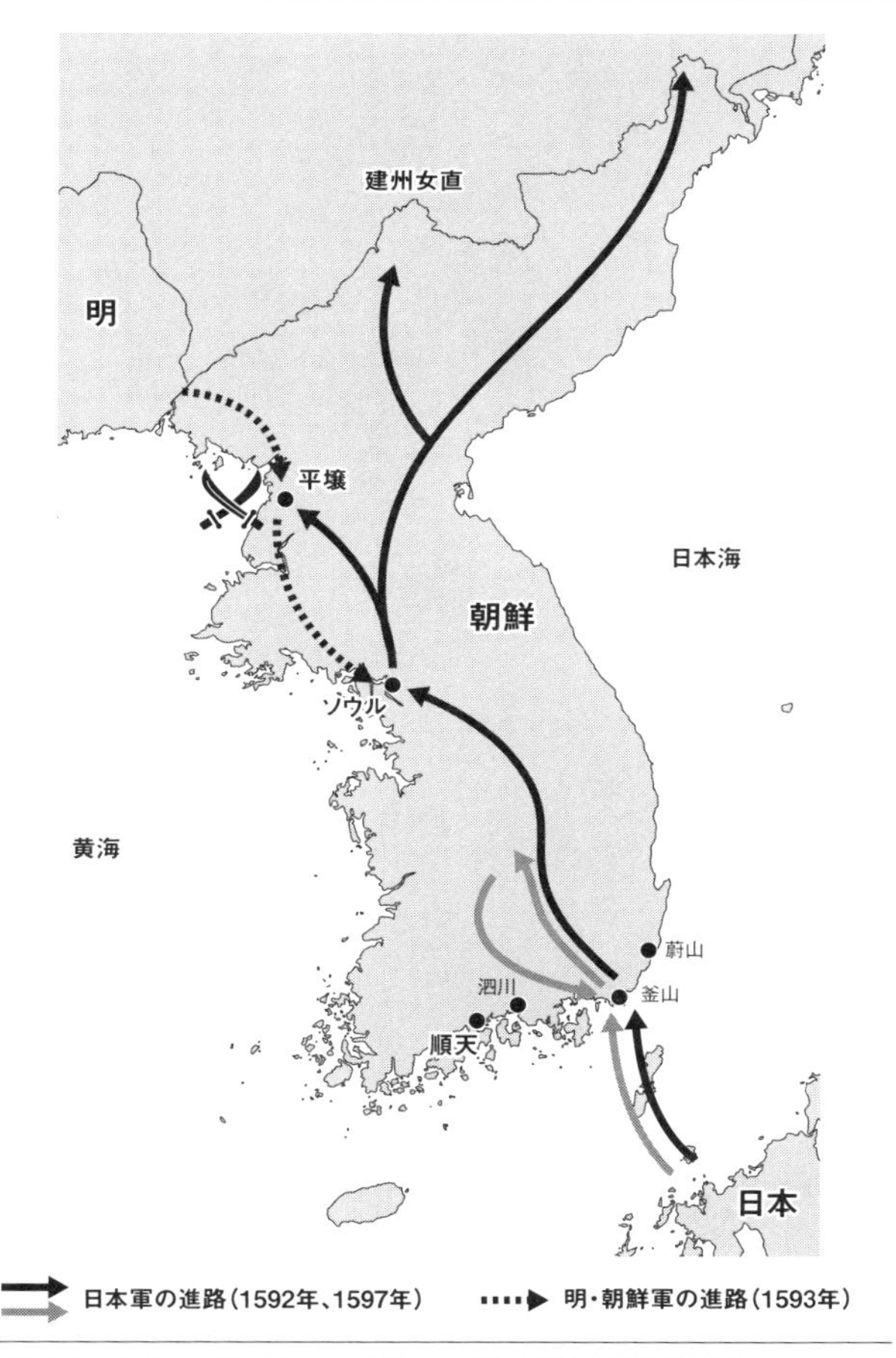


出所：Twitchett, Cambridge History of China. vol.7., 所載の地図をもとに作成

秀吉は中国征服の暁には、天皇を京都から北京に移して皇帝とし、自分自身は中国の貿易の中心であった寧波（ニンポー）に移って国際貿易の実権を握ったうえで、ポルトガルが副王を置くインドを攻略するつもりであった。ところが、実際のところ天皇自身は北京行きには消極的であったようだ。秀吉の独りよがりであったというべきであろう。

出兵を実行できたのは、全国の鉱山を押さえ、金銀のほぼすべてを手中に収めていたことが大きい。豊富な軍資金があったのだ。この点はスペインとおなじであった。太閤検地によって全国の石高を定め、コメ生産体制を強化していたことも経済的な背景にある。

戦争開始前に、秀吉はスペイン領となっていたフィリピンのマニラ提督と、ポルトガル領ゴアの東インド副王を威嚇している。マニラは、いつ日本の軍勢が攻めてくるかわからないので戦々恐々としていたようだ。もともと秀吉の世界認識は、唐土（＝中国）から天竺（＝インド）までだったが、イエズス会士との接触で地球レベルまで拡大していたようだ。インドのポルトガル勢力を屈服させることで世界制覇できると踏んでいた可能性もある。

## 本質的に日中の激突であった（大陸勢力vs海洋勢力）

16世紀末の「朝鮮の役」、19世紀末の「日清戦争」、20世紀半ばの「朝鮮戦争」は、いずれも「大陸勢力」の中国と「海洋勢力」の日本（その後、日本を屈服させた米国）との戦いが朝鮮半島を舞台に行われたことが共通している。

「大陸勢力」の中国と「海洋勢力」に挟まれた「半島」の朝鮮をめぐる関係は、ローマ字の大文字の「H」で理解することが可能だ。冷戦時代の「朝鮮戦争」を地政学的現実だけでなく、歴史的背景を踏まえて的確に指摘している『歴史としての冷戦—超大国時代の史的構造』（ルイス・ハレー）からすこし長くなるが直接引用しておこう。

戦略につうじた人が地図を眺めたら一目瞭然である。もし、中国と日本をHという字の2本タテの線と考えると、朝鮮半島は2本の線をつなぐヨコの線である。それは双方にとってお互いの侵略ルートであり、その結果双方の安全は、朝鮮半島を軍事的に占領するか否かにかかっていた。これは朝鮮人にとって不幸なことであった。ちょうどドイツ人とロシア人のあいだに挟まれたポーランド人が不幸であるのと同様であった。しかしそれは、北東アジアの安全と安定を考える上で、見逃すことのできない戦略的事実であった。

引用を続けよう。ハレー氏のような歴史的な見方をすると、1950年代の「朝鮮戦争」における米中激突が、けっして偶発的なものでなかったことが理解されるのである。

朝鮮半島をめぐる中国と日本の争いは、日本の建国以来絶えず続けられており、現在は米国が日本に代わって行っている。660年代には中国と日本は朝鮮で戦い、中国が勝った。1590年代の朝鮮戦争は、1950年代の朝鮮戦争と驚くほど形が似ている。日本は当時も、今日と同じく中鮮国境であった鴨緑江めがけて前進し、中国の大規模な反撃にあって、38度線以南に追い返された。

1890年代には、中国の国家が崩壊しつつあった反面、日本の勢力が増大し、ふたたび行われた朝鮮戦争では、今度は日本が勝って朝鮮は1945年まで日本の属領となった。しかし、米国が日本の力を継承し、同時に朝鮮の南半分を占領したとき、米国は以上の長い歴史が何を意味するか気がついていなかった。朝鮮半島をめぐって、後に米国が中国と対決したのが、まったくの偶然的出来事であったというのは疑わしい。

「1590年代の朝鮮戦争」とは、「朝鮮の役」のことである。明の征服を目的とした秀吉が朝鮮半島に大軍を送った戦争のことだ。「1890年代の朝鮮戦争」とは、「日清戦争」のことである。清朝末期の日本との対決は、朝鮮半島と台湾を舞台に行われた。

大国に挟まれた小国という、半島という地政学上のポジションがもたらす苦難と悲哀はまさに「Hの悲劇」としかいいようがない。

国際政治学者の中西輝政氏は『帝国としての中国』で、16世紀末の「朝鮮戦争」に1章をあてて分析を行っている。興味深いのは、朝鮮からの援軍要請に対して宗主国の明は、当初は援軍派遣を渋っていたという事実である。朝貢国の朝鮮がひそかに日本と通じて中国に侵略してくるのではないかと疑っていたからだ。

援軍が派遣され明軍が日本軍と向き合うと、今度は明は朝鮮の頭越しに日本と講和交渉を開始している。宗主国にとっては、あくまでも自国が危険を感じたからこそ援軍を派遣したのであり、その脅威を取り除くために戦争をするか講和するかは、あくまでも宗主国次第なのだ。無条件で朝貢国を支援したわけではない。この冷厳たる事実こそ、「帝国としての中国」の本質があると中西氏は見ている。

こういった歴史上の事例を追っていくと、おのずから中国と朝鮮の関係が明確になってくる。日清戦争の際もまた、朝鮮の頭越しに日中間で講和条約が交渉され、締結されている。朝鮮戦争においても、実質的に米中戦争であったというのが、その本質というべきだろう。

2020年現在、朝鮮半島情勢がどう動くか予断は許さないが、朝鮮が日本の植民地であった期間も、米国の同盟国となった韓国の歴史も、中国史全体のなかで見たらきわめて短い期間であったに過ぎないのである。このことを前提にものを考えなくてはならない。

### 「朝鮮の役」は明朝にとっては「万暦の三征」の1つだった

1590年代の万暦帝の時代には、明朝では北から南まで立て続けに戦乱が発生している。北方のモンゴルとの戦争、朝鮮半島での日本との戦争、そして華南での反乱である。それぞれ「ボハイの乱」「朝鮮の役」「楊応龍の乱」の3つであるが、これをあわせて中国史では「万暦の三征」という。それぞれ簡単に見ておこう。

まず「ボハイの乱」(派兵期間:1592年3月~9月)から始まった。モンゴル人のボハイが1592年2月に反乱を起こして陝西省一帯を席巻した事件である。ボハイはかつて明朝に降伏し、その後功績を立てて将に取り立てられていた。そのボハイが反乱を開始した翌月に明朝は討伐軍を派遣、9月には鎮圧に成功し、ボハイは自害している。

息つく暇もなく発生したのが「朝鮮の役」である（派兵期間：1592年12月～1600年11月）。「ボハイの乱」とは無関係に発生した事態だが、まさに明朝を長年にわたって悩ませていた「北虜南倭」の状況が一気に火を噴いた形となった。

日本軍の朝鮮半島上陸は1592年4月だが、明朝はなかなか動かなかった。9月までは「ボハイの乱」の鎮定のため動けなかったこともあるが、先にも見たように朝貢国であった朝鮮が日本と通じているのではないかと疑っていたからである。明朝は、あくまでも自国を守るために出兵したのであり、朝鮮の頭越しに日本と単独で講和交渉を行っている。

講和交渉が決裂後、1597年に開始された「第2次侵攻」でふたたび日本軍が侵攻してきた際には、明軍は朝鮮軍とともに、蔚山（ウルサン）、釜山（プサン）まで南下して日本軍と戦っている。1598年の秀吉の死をきっかけに1598年11月に日本軍が釜山から完全撤退したのちも、明軍は1600年11月まで朝鮮半島に居座った。「第3次侵攻」があるのではないかと警戒したためである。

「朝鮮の役」で財政がすでに底をついていた明朝だが、明軍が日本軍と戦っているスキに乗じて1591年に中国南方の播州で反乱を起こし、山岳地帯の苗（ミャオ）族を味方に取り込んで勢力を拡大したのが楊応龍である。このため「楊応龍の乱」あるいは「播州の役」という。

「朝鮮の役」が終息に向かったため、明朝はようやく1599年になってから討伐軍を送り込んだ。討伐軍には朝鮮で戦った将兵が転用されたが、そのなかには朝鮮で投降した日本兵が火縄銃による鉄砲兵力として編入されていた。さらに仏郎機(フランキ)砲など火砲を備えた明軍は、弓矢で武装していた楊応龍軍を圧倒、反乱は1600年に平定された。

連続して発生した「万暦の三征」には膨大な戦費が投じられただけでなく、政治にまったく関心を失っていた万暦帝は、私的な浪費によって明朝の財政に大打撃を与えている。悪化した財政は、根本的に立て直されることはなく増税で対応したため、民衆の不満と離反を招く遠因となった。

さらに、「朝鮮の役」においては、満洲の遼東半島方面に配置されていた兵力が朝鮮に転用されたため、そのスキに乗じて女真族のヌルハチの勢力拡大を許す結果となった。秀吉は、結果として明朝滅亡の引き金を引き、女真族は労せずして「漁夫の利」を得たことになる。だが、明朝が滅亡するのは「朝鮮の役」から約40年後のことである。いや、よく40年も持ちこたえたというべきだろうか。明朝滅亡に最終的な引き金を引いたのは、「地球寒冷化」であった。この点については、第3章で詳しく見ることにしたい。

### 「朝鮮の役」は3段階

「朝鮮の役」は、時系列から3段階にわけることができる。「第1次侵攻」（1592～1593年）、「日明間の講和交渉とその決裂」（1593～1596年）、「第2次侵攻」（1597～1598年）の3段階である。

「第1次侵攻」（1592～1593年）においては、希望的観測から防備を怠っていた朝鮮側の準備不足もあって、日本軍は「電撃戦」を展開している。朝鮮半島上陸から2日で釜山（プサン）が陥落、北上した日本軍は上陸からわずか17日で首都の漢城（現在のソウル）を陥落させている。国王が逃亡し、抵抗らしい抵抗もない無血入城であった。

2003年の「イラク戦争」（＝第2次湾岸戦争）で米英ポーランド連合軍が、作戦開始からわずか20日間で陸上部隊によりバグダッドを陥落させたことを想起させられる。皮肉なことに、1592年の場合も、初戦の成功とは裏腹に泥沼にはまっていったことが共通している。国王逃亡後の王宮が現地人によって掠奪されるなど、当初は解放軍のような扱いだった日本軍だが、時間がたつにつれてゲリラ戦による抵抗が散発的に開始され、日本軍が悩まされることになった。なによりも悩まされたのが、想定外の冬の厳しさであった。

援軍として入った明軍との本格的戦闘で、一進一退の膠着状態となる。当時の明軍は、一般に思われているのと違って武器も優秀で精強であった。対する日本軍は、天下統一をなしたばかりの世界最強の軍隊といっても言い過ぎではなかった。明軍は大砲中心の軍備で日本軍を圧倒したが、日本軍は鉄砲と槍の組み合わせで明軍を圧倒している。お互いに手こずる事態となったのである。

よく知られているように、鉄砲伝来は1543年（あるいはその翌年）のことであった。倭寇の頭目であった王直に導かれてやってきたポルトガル商人が伝えたとされるが、16世紀後半の日本の鉄砲が30万丁と、ヨーロッパ全体を上回るほど急速に日本全国に普及したのは、戦国時代後期であったことだけでなく、火縄銃の量産が可能となったことがある。リバース・エンジニアリングでメカニズムを理解し、さっさと再現してしまう日本人の能力があっただけでなく、豊富に産出する砂鉄を原料にした「たたら製鉄」、さらには刀鍛冶を含め高度な分業体制を実現する土壌がすでにあったからだ。

ところが、中国では鉄砲の量産ができなかったため日本ほど普及していない。もともと明朝初期から大砲が使用されていたこともあり、ポルトガルから導入された仏郎機（フランキ）砲など大砲が装備の中心であったのは、明軍にとっては自然なことであった。

ところが、火薬の原材料としての硝石に関しては、日本は中国からの輸入に頼っていた一方、おなじく火薬の原料である硫黄は火山国の日本には豊富にあって、元朝時代から中国へ輸出されていた。火薬にかんしては、戦時中であっても日中は相補的関係にあったことになる。

日本と明のあいだで始まったのが、朝鮮の頭越しに行われた単独和平に向けた講和交渉であったが、明側の提案に秀吉が激怒して交渉は決裂、1597年に「第2次侵攻」が開始されることになる。明朝は秀吉を懐柔しようとして、かなり譲歩したつもりだったが、埋めようのないパーセプション・ギャップが存在したようだ。

「第2次侵攻」は、秀吉の怒りに端を発した理不尽としかいいようがない復讐戦であり、大義をともなった戦争であったとは言い難い。朝鮮半島南部を占領し殺戮を行っただけでなく、一般人も合わせた大量の捕虜を日本に連れて帰るという蛮行を犯している。結局、秀吉の死によって日本軍が撤退して戦争が終結することになったが、日本軍のなかではすでに厭戦ムードが蔓延していたようだ。本来の目的であった「中国征服」からは大きく逸脱していた。

## 朝鮮との国交回復はしたが、明との公式貿易は再開できなかった日本

「朝鮮の役」が失敗に終わってから2年後の1600年、「関ヶ原の戦い」で徳川家康が天下を取ることになった。家康が征夷大将軍となったのは、その3年後の1603年である。家康は秀吉の五大老の筆頭であったが、「朝鮮の役」には参加していない。

家康もまた秀吉と同様、明朝との貿易再開を望んでいた。だが、家康の時代になってからも、明との公式貿易は再開できなかった。対日不信がそれほど大きかったということだろう。あくまでも明朝は日本を「倭寇」と見なしていたのだ。家康は、まずは朝鮮と国交回復し、朝鮮をつうじて明朝に働きかけをしてもらおうと考える。おなじ趣旨で、島津による琉球王国征服を了承したのである。

朝鮮が多大な被害を被りながら、日本との講和に踏み切ったのは、すでに見たように朝鮮半島の地政学的な脆弱性によるものであった。16世紀末から17世紀半ばにかけて、朝鮮半島は海洋勢力の日本と大陸勢力の女真族という、二大列強の挟み撃ち状態にあった。

## 捕虜として日本に連れてこられた朝鮮人の帰還問題

朝鮮から強制的に日本に連れてこられた捕虜を「被虜人(ひりょにん)」という。戦争終結後に朝鮮と

のあいだで問題になったのが、捕虜の返還であった。

捕虜とされたのは兵士だけでなく、民間人も人狩りの対象となり日本に連れてこられて、その数は数万人に及ぶとされている。秀吉が、有用な人間を確保せよと命じていたからである。そのなかには奴隷として売買され、ポルトガル商人に売られた者もいたようだ。世界でもいち早く奴隷売買を禁止していたはずの秀吉だが、「戦利品」として捕らえられた朝鮮人捕虜は別扱いだったのであろう。

拉致された朝鮮人のなかには、脇田直賢のように武士になった戦争孤児もいる。日露戦争の乃木希典も、朝鮮の「被虜人」の末裔だという説もある。このほか、儒者や僧侶、医師などの知識人、陶工などの職人もいた。

陶工たちにかんしては、技術者を必要としていた九州の諸大名が優遇したので定住の道を選んでいる。技術移転は人間の移動をともなうものであり、陶工たちにとっては待遇はけっして悪くなかったらしい。司馬遼太郎の『故郷忘じがたく候』の主人公・沈寿官氏は薩摩藩に連れてこられた陶工の子孫だが、その代表といってもいい存在だろう。このほか、有田焼なども同様だ。だが、多くは日本各地の農村で農作業に従事させられることになった。

戦争終了後、家康の時代になってから、朝鮮への帰還が開始されたが、そのすべてが帰還したわけではない。生活基盤をすでに日本国内に築いていたため、帰還を選択しなかった者も少なくなかったようだ。

もちろん、逆のケースもあった。戦闘中に捕虜となった日本軍の兵士も数千人おり、鉄砲部隊として朝鮮軍や明軍に編入され、最前線に投入されている。朝鮮は、女真族との戦争に日本人捕虜の鉄砲部隊を投入、中国もまた「万暦の三征」の最後の反乱に日本人捕虜の鉄砲部隊を投入して、大いに戦果をあげることができた。日本側から移転した技術もあったのだ。

その後、日本人捕虜たちがどうなったのかわからないが、生き残った者も現地に同化して消えていったのであろう。大戦争をきっかけに、大規模な人間の移動が発生したのである。

## 軍事テクノロジーとしての「大砲と帆船」の組み合わせが西欧の優位性を生み出した

日本では「科学技術」とひとくくりに表現することが多いが、本来は科学と技術は別物だ。

21世紀の現在、は科学と技術が密接な関係にあることは否定できないが、科学が「Ｗｈｙ」を探究するのに対し、工学は「Ｈｏｗ」を考えるという方向性の違いだけではない。そもそも、技術は人類が道具を使い始めて以来のものであるのに対し、とくに近代科学は、たかだか17世紀以降の歴史しかないのだ。

「第1次グローバリゼーション」を支えたテクノロジーについて確認しておこう。そのなかでも、とくに16世紀に飛躍的に発達した軍事テクノロジーについて取り上げることにしよう。西欧諸国が東アジアまでやってきた原動力でありながら、同時に東アジアでは圧倒的な優位性をもてなかった理由でもあるからだ。

## 近代ヨーロッパにおける軍事革命

『長篠合戦の世界史―ヨーロッパ軍事革命の衝撃　1500〜1800年』の著者ジェフリー・パーカー氏は、近世ヨーロッパにおける「軍事革命」（ミリタリー・レボリューション）の特徴を以下の4項目に要約している。①軍艦の舷側砲の発展、②陸戦におけるマスケット銃の重要性の高まり、くわえて野砲による援護、③ヨーロッパ史上例のない急激で持続的な兵力の膨張、④「対攻城砲要塞」の発展、である。

このうち、②から④までは、もっぱらヨーロッパ域内の陸上戦闘にかんするものであるので（ただし②は間接的に日本に影響を与え、さらに中国、朝鮮と拡がったことはすでに見たとおりだ）、ここでは①の「軍艦の舷側砲の発展」にかんして重点的にみることにする。「第1次グローバリゼーション」は「シーパワー」中心の文明であり、帆船に搭載した大砲が軍事的侵略で大いに威力を発揮したからである。

この問題を考えるにあたって、大いに参考になるのが、イタリアの経済史家C・M・チポラによる『大砲と帆船―ヨーロッパの世界制覇と技術革新』という本だ。「大砲と帆船」の組み合わせが、近世以降の「海上」におけるヨーロッパの優位性を作り出したのである。

戦争に使用される大砲と、海上移動に使用される帆船は、それぞれ別個に発達したテクノロジーだが、この2つが結びついたことで掛け算としての威力を発揮することになった。

要は、機動力と破壊力である。陸上の戦闘で城塞を攻撃するための大砲の効果は大きいが、大砲を戦場まで移動させることは大きな問題であった。この問題は、大砲を帆船に搭載することで解決したのであり、以後この組み合わせの技術進歩が休むことなく続いている。

風を動力とする帆船の時代が終わり、石炭を燃料とする蒸気船の時代になっても、石油を燃料とする時代になっても、軍事技術進化の方向に変化はなかった。軍事的な覇権がヨーロッパから米国にシフトして以降も、本質に変化はなかった。とはいえ、航空兵力と潜水艦の発展によって、「大艦巨砲主義」の時代が終わったことを痛切に感じさせられたのは、大東亜戦争末期に戦艦大和を失った日本であったことは、あえて書くまでもないことだろう。

## ヨーロッパによる世界覇権の第一歩は「大砲と帆船」

ところが、「海上」でフルに発揮されたヨーロッパの優位性は、「陸上」では十分に発揮されなかった。「新大陸」に支配を及ぼしたヨーロッパ勢力だが、東アジア海域においてはかなり長期にわたって沿岸地域しか確保できなかったのはそのためだ。

ポルトガルが確保したのは、ゴアやマラッカ、そしてマカオという「点と線」であり、17世紀にポルトガルにとって代わった後発組のオランダもまた、それをなぞったに過ぎない。内陸まで侵攻するようになったのは、19世紀後半の英国によるインド植民地化以降のことだ。

日本が「海上」で優位性をもつヨーロッパ勢力と組まなかったため、大いに苦労したのが、先に見た「朝鮮の役」（1592〜1598年）であった。

その問題とは、「大砲と帆船」を用意できなかったため浮上してきたものだ。そもそも秀吉の構想は中国征服が目的であったわけであり、島国の日本が中国に兵を進めるには朝鮮半島に上陸するのがいちばん近道である。戦争においては将兵と武器弾薬、それに糧食も含めた物資を輸送するためのロジスティクスが必要である。まずは、渡海のための船が必要である。これは日本水軍が担っていた。

だが、「海上」での戦闘を主目的にしていたわけではなく、あくまでも人員と物資を無事に上陸させることに主眼点がおかれていた。もちろん、使用された安宅船には火縄銃式の大鉄砲が備え付けられていた。

「海上」の戦闘においては、敵の船に接舷して切り込んでゆく白兵戦指向で、この点においては当時の日本軍は無双の強さを誇っていた。同時代の地中海のガレー船による戦いもまた同様であった。

とはいえ、朝鮮水軍の李舜臣（イ・スンシン）に翻弄されるといった事態も発生している。李舜臣と亀甲船については過大評価のきらいがあるものの、出兵準備の段階でポルトガルなりスペインの大砲積載船を確保できていれば、朝鮮水軍は簡単に撃破できていたはずだ。だが、秀吉にはいまひとつ戦略眼が欠けていたのか、それ以上に反キリシタン意識が強かったのか、実際にはそうはならなかった。

## 「大砲」の発達

「大砲と帆船」が西欧の優位性を生み出したわけであるが、その発達史を大砲と帆船にわけて整理しておこう。

そもそも火砲はヨーロッパで生まれたのではなく、中国で生まれたものである。これはすでに常識だといっていいだろう。かつては、印刷術・火薬・羅針盤が「ルネサンスの三大発明」といわれたこともあったが、これは無知にもとづく西欧中心主義の妄想であった。

21世紀の現在、このような表現はもはや通用しない。

では火砲はいかにしてヨーロッパに伝来したのか。それは、13世紀のモンゴル帝国の成立によるものだ。モンゴルが東方から西方に軍事的に拡大していった時期、遊牧民のモンゴル軍は中国人の火砲技術者を連れて陸路でユーラシアを縦断していった。西欧社会がモンゴルの手に落ちる瀬戸際で、偶然的な事象の発生でモンゴル軍が撤退したことで難を逃れることができたが、ポーランドからハンガリーにかけてまでモンゴルに征服されている。ロシアは長期にわたってモンゴルの支配下にあった。

中国からヨーロッパに伝来した火砲は、ヨーロッパで独自の発展を遂げるようになる。同時に中国においても独自の発展を遂げていった。元朝滅亡後の明朝も、最初から火砲を使用していた。だが、社会が安定するにしたがい、明朝は火砲の使用を制限するようになった。

ヨーロッパでは、火砲は城塞攻撃の武器として重用されるようになる。15世紀前半に活躍したジャンヌ・ダルクは、騎士がいやがる大砲を積極的に使用し、砲兵隊を独立させている。だが、火砲をもっとも効果的に使用したのは、コンスタンティノープルを陥落（1453年）させたオスマン帝国であろう。

ところが、16世紀の初めには火縄銃が発明され、小銃中心の時代となり、大砲の技術開発は後回しとなった。火縄銃が種子島に伝来したのは16世紀半ばのことだ。小銃の製造は当時の技術水準からみて手頃なものだったので、ヨーロッパだけではなく日本でも爆発的に普及したのである。以後、16世紀は火縄銃と槍の組み合わせが戦闘の標準形となったのは、ヨーロッパも日本もおなじである。

面白いことに、中国には16世紀の始めにヨーロッパ製の大砲も小銃も伝来していたが、大砲は仏郎機（フランキ）砲という形で導入されたのに対して、小銃は普及しなかった。16世紀から17世紀にかけての、大砲志向の中国と小銃志向の日本との違いが興味深い。

素材と材料という観点から大砲について見てみると、ヨーロッパでは最初は青銅製が中心であった。銅と錫の合金である青銅（ブロンズ）は、加工しやすいというのが最大の利点であったが、材料費が高いのでコスト高になるのが難点であった。青銅製の大砲製造の中心は、先進地帯のフランドル地方であった。

青銅に対して、加工はしにくいがコストが低いのが鉄である。鉄製の大砲の技術革新を行ったのがイングランドである。経済後進国ではあったが、イングランドには豊富な鉄鉱石があったためだ。18世紀の後半には、原材料の鉄鉱石に加えて燃料としての石炭にも注目が集まり、その双方を産出するイングランド（英国）で世界最初の「産業革命」が始まることになる。

17世紀は「オランダの黄金時代」であったが、オランダはスペインからの独立戦争を戦う必要から大砲を必要としていた。アジア海域では、先行する競合先ポルトガルやスペインの勢力に対抗するため掠奪を中心に活動を行っていた。そのため、帆船に大砲を積載することが必要であり、大きな需要が生じていた。

オランダはイングランドから大砲を輸入していたが、後背地ともいうべきドイツやスウェーデンに目をつけることになる。豊富な鉱物資源を有するスウェーデンは、旺盛なオランダの需要に応えるべく大砲の一大生産国となっていく。

銅の産出国であるスウェーデンでは、最初は青銅製が中心だったが、鉄鉱石も豊富に産出することもあり、コスト安の鉄製大砲を求めるオランダの需要に応えて、鉄製大砲の主要生産国となっていった。現在までつづく兵器製造大国スウェーデンは17世紀半ばに誕生したのである。

## 「帆船」がメインになる

現在のように動力が石油になる以前は、船の動力が人力や風力に頼るのは、世界中どこでも当たり前であった。自然界に存在する風力を利用した帆船は、ある意味では人類史とともに存在する。中国のジャンク、インド洋のダウ船は、いずれも帆船である。

だが、帆船の技術が高度に発達したのは西欧である。14世紀の1本マストから15世紀には2本マストに発展し、その後は3本マストで5枚から6枚の帆をもつ全装帆船へと発達していく。

古代文明の中心の1つであった地中海世界では、帆船ではなくガレー船が中心であった。水深が深くて干満差がほとんどなく、波が比較的穏やかだが、風向きが不安定で突風もあるため、人間が漕ぐ人力のガレー船が適していたのである。

イタリアの都市国家ヴェネツィア、ジェノヴァの商船、スペインの商船と艦船もまたガレー船であった。ヨーロッパのキリスト教勢力が初めてイスラーム勢力を破った「レパントの戦い」（1571年）は、ガレー船の絶頂期であった。

ところが、地中海からジブラルタルを出て大西洋、さらに北海に入るとガレー船では対応できなくなる。というのは、北海は水深が浅くて干満差が大きく、特に冬場は荒天が続いてうねりが高くなり、一部では結氷もある。だが、洋上では風向きが季節によって一定しているので風力を利用する帆船が適していたのであった。

南の地中海と北の北海でそれぞれ発達してきた造船技術が融合することで、15世紀にはヨーロッパの帆船技術は飛躍的に進歩することになった。この時代に、いわゆる「大航海時代」を先導して大西洋からアフリカ、さらにはアジアまで進出していったのがポルトガルだ。

この動きはおなじカトリック国であったスペインも追随することになる。さらにはプロテスタント勢力のオランダとイングランドも続いていくことになった。

# 第3章

# 「第1次グローバリゼーション」の終息（17世紀）

## 17世紀の「異常気象」がグローバリゼーションに強制終了をかけた

「第1次グローバリゼーション」は、17世紀の異常気象（寒冷化）によって終わることになった。ちょうど同期するかのように世界的に銀の供給量が減少してきたことも「国際交易の時代」を終わらせることになる。

「17世紀の危機」は、かつて西洋近世史について強調されてきた事象だが、近年では地球寒冷化という異常気象はヨーロッパに限定されたものではなく、全地球レベルのものだったという議論が出てきている。17世紀半ばの同時代的な動きは、けっして偶然に時期が重なったわけではないのだ、と。

前章では、1571年に始まった「第1次グローバリゼーション」を取り上げた。カトリック国のポルトガルが先行し、それにおなじくカトリック国スペインが続いた「大航海時代」には、「帆船と大砲」という軍事テクノロジーによって、アフリカからインド洋諸国、さらには「新大陸」とよばれた中南米を圧倒する。16世紀には豊富に産出された日本銀と新大陸の銀が、シルクなどの贅沢品を求めて当時の経済の中心だった中国に流れ込むことになり、空前の「国際商業ブーム」が出現した。加熱する経済活動は戦争をもたらすことになる。スペインによる「中国征服計画」は未遂に終わったが、天下統一を成し遂げたばかりの秀吉が「中国征服計画」を断行、戦場となった朝鮮半島が荒廃した。

これから見ていく17世紀は、16世紀とはコントラストのはっきりとした真逆の時代になる。「第1次グローバリゼーション」は、銀が枯渇してきた日本だけでなく、新大陸の銀も供給量が減少したこともあって「国際商業ブーム」が終息に近づき、カオス状態となっていた地球にふたたび秩序が戻ってくる。グローバリゼーションは経済過熱化をもたらし、大戦争やパンデミックで終わるのがパターンだといえよう。

「グローバリゼーション」を手放しで礼賛する人は、ぜひ17世紀の世界史に目をこらしてほしいと思う。また、現在は「地球温暖化」の時代だから「地球寒冷化」の時代なんて関係ないと思わないことだ。火山噴火などが原因となって「寒冷化」になる可能性がゼロでないだけでなく、いつの時代でも、生きるのはたいへんだったことを知ることが必要だからだ。

## 17世紀には世界各地で人口が減少

全世界的に人口減少を体験しているのが17世紀だ。ユーラシア大陸では東の中国も、西のヨーロッパでも、全般的に人口が減少している。日本やオランダなどを例外にして、いずれも17世紀には人口減少しているが、18世紀以降には人口増加傾向に転じている。

マクエヴェディーとジョーンズの推計（1978年）によれば、中国は、1600年時点で1億6000万人だった人口が、1650年時点では1億4000万人に減少したが、1700年時点では1億6000万人に回復、1750年時点で2億2500万人と増加し、1800年時点では3億2000万人と、1世紀のあいだに倍増するという大きな動きを示している。

カトリック国のスペインとポルトガルは、1600年時点で両国あわせて1050万人だったのが、1650年時点で925万人に減少、1700年時点では1000万人に回復、1750年時点では1200万人、1800年時点では1400万人と増加傾向を示している。

一方では、人口が増えている国や地域もある。その代表的な存在は日本である。どうも17世紀の日本史は例外のようなのだ。日本もまた異常気象の影響を強く受けていたにもかかわらず、比較的軽易に切り抜けることができたのはなぜか、これはおいおい考えていくことにしよう。

日本は、1600年時点で2200万人が、1650年時点で2500万人、1700年時点では2900万人と増加傾向にあったが、1750年時点では2900万人とフラット化し、さらに1800年時点では逆に2800万人と、人口が飽和状態に達したためか微減している。朝鮮は、1600年時点で500万人が、1650年時点で500万人とフラットであったが、1700年時点では625万人、1750年時点では700万人、1800年時点では750万人と微増を続けている。

移民や難民という形で他地域から流入して人口が増加したのは、オランダやイングランドといったプロテスタント諸国である。経済的に繁栄し、17世紀に「黄金時代」を迎えたオランダは、1600年時点の150万人が、1650年時点で200万人に増加して以降、1800年まで200万人と人口規模がフラットで安定している。オランダを追っていたイングランドを含めた英国全体は、1600年時点で625万人が、1650年時点で750万人、1700年時点では925万人、1750年時点では1000万人、1800年時点では1600万人と増加を続けている。

## 「17世紀の危機」は地球寒冷化がもたらした

「地球温暖化」については、いまさら説明する必要もないだろう。温暖化ガスである二酸化炭素の排出量の増加によって、毎年のように酷暑の夏を体験しているからだ。地球温暖化の影響で海面上昇や水不足、さらにはメガ台風などの自然災害が激甚化しているだけでなく、生態系に大きな変化が発生している。

「異常気象」が問題になったのは現在だけではない。地球は温暖化と寒冷化を繰り返しており、現在は「温暖化」が大きな問題となっているが、過去には「寒冷化」が大きな問題を引き起こしていた。歴史上もっとも有名な寒冷化は、14世紀と17世紀のものである。もちろん、それ以前も地球は温暖化と寒冷化を繰り返してきた。とりわけ17世紀の寒冷化は「小氷期」とよばれるほどの寒さであり、ヨーロッパ史では「17世紀の危機」とよばれてきた。

だが、近年では地球寒冷化という異常気象はヨーロッパに限定されたものではなく、全地球レベルのものだったという議論が出てきている。17世紀半ばの同時代的な動きは、けっして偶然に時期が重なったわけではない。つまり「17世紀の危機」は全地球レベルで考える必要があるのだ。

たとえば、日本の「鎖国」（1641年）、「ピューリタン革命」（1642年）、「明清交替」（1644年）というほぼ同時期に発生した3つの事象は、それぞれ動機も形態も異なるが、「17世紀の危機」への対応だったと考えるのが自然ではないだろうか。

軍事史で有名な英国の歴史家ジェフリー・パーカー氏は、『グローバル危機—17世紀における戦争・気候変動・大破局』（日本語未訳）という大著で、「17世紀の危機」とその対応が、1610年代から1680年代にかけて行われたことを示している。目次の一部を紹介しておこう。目次を見ただけでも、全地球的な拡がりを確認することができるだろう。

「明末から明清交替を経て鄭氏滅亡まで　1618～1684年」、「ロシアとポーランド＝リトアニア大連合　1618～1686年」、「オスマン帝国の悲劇　1618～1683年」、「三十年戦争によるドイツの嘆きと周辺諸国　1618～1688年」、「イベリア半島の苦悩　1618～1689年」、「フランスの危機　1618～1688年」、「スチュアート王朝とイングランド内戦　1603～1642年」と「内戦から名誉革命までのイングランドとアイルランド　1642～1689年」。

「三十年戦争」を終結させた「ウェストファリア条約」（1648年）は、「主権国家」どうしの対等な関係をベースにした国際秩序の枠組みとなったものであり、イングランドは「ピューリタン革命」(＝イングランド内戦)と「名誉革命」という2つの革命によって、「主権国家」からさらに「国民国家」への道筋をつけている。「17世紀の危機」を克服していったなかで、「近代化」にむけての基礎が形成されたのだ。天文学のガリレイやニュートンが主導した「17世紀科学革命」もまた、そんな「17世紀の危機」のなかから生まれたものであった。

**太陽活動の低下が寒冷化の原因**

「17世紀の危機」の最大の要因は、気候が寒冷化したことにある。その根本的要因は、太陽活動が低下したことにあった。地球外の要因によってもたらされた、地球規模の寒冷化だったのである。さらにエルニーニョ現象や火山の噴火による影響が加わったという説もある。

17世紀には太陽黒点の著しい減少が観測されており、とくに1645年から1715年までの期間は、太陽黒点が消えた「マウンダー極小期」に入っていたとされている。太陽の活動周期は、おおよそ11年前後とのことであるが、14世紀のはじめ頃から始まっていた

## 過去2000年の平均気温の変動

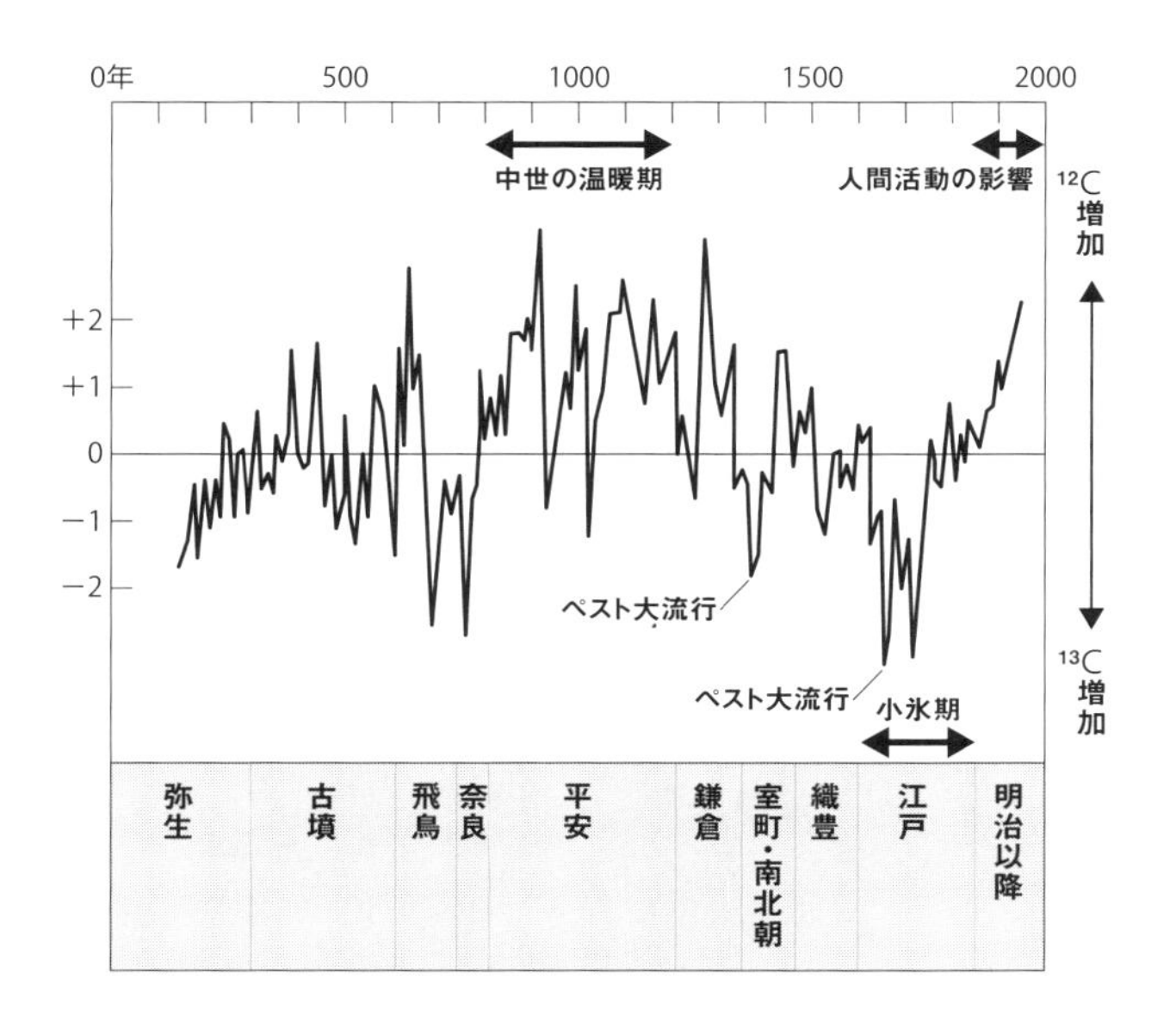


出所：安田喜憲『森のこころと文明』NHK出版、1996

「小氷期」のなかでも、気候の寒冷化がもっとも厳しく、冷夏が続いて大きな悪影響がでたのが、この「マウンダー極小期」の70年間であった。10世紀から13世紀の終わりまで温暖期がつづいていたが、一転して14世紀のはじめから19世紀の半ばまで約500年も寒冷期がつづいていたのである。

ヨーロッパでは、ロンドンではテムズ川が夏でも凍結したり、真冬には厚い氷が張ったので氷上パーティーが行われていた。そんな絵画が残されている。オランダでは、全土に張り巡らせていた運河が冬には凍結して、物資の輸送が行えずに、食料品だけでなく日用品の供給にも事欠く事態が発生していた。

またアルプスの氷河が大変発達し、それによって押しつぶされてしまった村も存在する。現在のアルプスは地球温暖化で融解が問題となっているが、17世紀は真逆の状況にあったのだ。この状況は、フランスの歴史家ル＝ロワ＝ラデュリの『気候の歴史』に詳しい。

## 寒冷化による食糧危機が引き起こしたもの

寒冷化が進むと、食糧生産に被害がでてくる。これが一番大きな悪影響だ。異常に湿度の高い夏と寒い冬が周期的に訪れ、穀物生産に大きなダメージが与えられ、世界各地で凶作がもたらされた。穀物価格が上昇し、貧しい者はもっとも重要な生命維持装置である食糧を買うことができなくなる。飢饉となると、餓死者も発生することになる。

食糧の調達が困難となると、困窮した人びとは生まれ故郷を離れて移住したり、社会問題に十分に対応がとれない統治者に対する不満が蓄積し、反乱が頻発するようになる。このパターンがなんども繰り返されてきたのが世界の歴史だ。

ヨーロッパでは、全般的に飢餓状況が拡がった。経済が停滞すると、社会不安は魔女狩りなどの形で噴出し、宗教上の争いが激化していく。「ピルグリム・ファーザーズ」とよばれたピューリタンの一派が、新天地を求めて北米植民地に移住したのもこの時期のことだ。だが、寒さと飢えのため入植地では半数以上が死んでいる。

## ヨーロッパでふたたびぶり返したペスト

17世紀には、寒冷化の影響もあってペストが再流行している。再流行というのは、14世紀の大流行でも完全に根絶されず、ヨーロッパでは断続的に流行を繰り返していたからだ。ペストは病原菌によるものでウイルスによる感染症ではないが、17世紀当時には細菌が原因であるとはわかっていなかったので、人びとは恐怖にさいなまれることになる。

17世紀ロンドンのペストについては、ダニエル・デフォーに『ペスト』という小説がある。1665年のロンドンのペストを子どもの頃に体験した彼が、記録をもとにして記録文学スタイルで半世紀後に小説化したものだ。内容は、さすがに『ロビンソン・クルーソー』の作者だけあって、即物的な描写が続くだけでなく、死亡者にかんする細かい統計データをこれでもかこれでもかと出してくる。

とはいえ、ペストのおかげで万有引力の法則も発見されたことを記しておく必要があるだろう。当時ケンブリッジ大学で光学の研究をしていたニュートンは、ペストを避けるために生まれ故郷に避難しており、その田舎暮らしのなかで万有引力の法則や力学の基礎法則を発見したのであった。

## 地球寒冷化の影響は東アジアでも

「地球寒冷化」が大きな衝撃をもたらしたことはヨーロッパだけでなく、中国をはじめ日本を含めた東アジアも東南アジアも同様だった。

17世紀半ばには、日本でも飢饉が発生している。「寛永大飢饉」(1640年)である。この大飢饉は3年間にわたって続いた。「寛永大飢饉」は東アジア規模での異常気象の影響であり、大陸では1627年から1643年まで、この千年紀の中国でもっとも過酷な干ばつ状態が続いていた。さらにはイナゴの害の発生などにより飢饉状況が蔓延、子どもを身売りする親や、餓死者や首をくくる者も増えていた。

中央政府が財政難で機能不全となり、地方の惨状に十分な対策をとれない末期症状のなか、あいつぐ農民反乱で明朝は滅亡した。寒冷化の被害のひどかった北部の満洲から南下してきたのが女真族（＝満洲族）だが、明朝滅亡に乗じて北京を占領し、あらたに清朝を樹立している。これをさして「明清交替」（1644年）という。

地球寒冷化の17世紀は、同時に「国際商業ブーム」が終焉していった時期でもある。1640年代以降、東南アジアの「港市」は衰退していったが、国内に農業基盤のないジャワはオランダの植民地となり、明の遺臣として「抗清復明」を掲げて清朝による支配に抵抗していた鄭成功（ていせいこう）一族は屈服して台湾を明け渡している。寒冷化による乾燥化で農作物の不作があったものの、国内に農業基盤のあった中国や日本、東南アジアのベトナムやシャム（＝タイ）、ビルマなどは「内向き」になることで生き延びることに成功した。

## 日本は17世紀の危機を比較的うまく切り抜けた

先に見たように、「17世紀の危機」の最中にあった日本だが、むしろこの時期には他国と異なり、人口が増大していた事実に注目する必要があろう。

関ヶ原の戦い（1600年）から江戸時代が始まるが、家康は国内安定化の政策を実行すると同時に「国際商業ブーム」のなかで貿易重視の政策を行っていた。だが、2代将軍秀忠の時代から3代将軍家光の時代になるにつれて、「内向き」姿勢による国内安定化が図られることになる。この17世紀半ばに入ってからの政策転換は、むしろ評価すべきなのではないだろうか。「鎖国」体制の完成（1641年）が、この時期に起こった背景をよく考える必要がある。

日本列島と朝鮮半島は、14世紀のペストから逃れていたため、17世紀にもペストの被害はなかったことを指摘しておきたい。大陸から離れた島国の日本はさておき、大陸とは地続きの朝鮮半島がペストから逃れたのは、ペスト移動の方向が中国からユーラシア大陸を西向きに拡大したためだったか、その理由は定かではない。ただし、ウイルス性の家畜感染症の牛疫は朝鮮半島から日本に伝来し、「寛永大飢饉」の日本でも大きな被害を出している。牛疫は、天然痘とならんで、現在では根絶された数少ないウイルス性感染症である。

では、次項から、「17世紀の危機」の時代に何がおこったのか具体的に見ていくことにしよう。まずは、日本の「鎖国」から始めよう。「鎖国」とよばれている状態の実情と、「鎖国」が実行された理由について考えてみたい。

## ヒトの移動に制限はかけられたがモノ・カネ・情報は動き回っていた「鎖国」の実態

「新型コロナウイルス感染症」（COVID-19）によって、2020年の世界が突きつけられたのは、安全か経済かという究極の問いであった。「鎖国」もまた、安全か経済かという究極の問いに対する回答であったのだ。もちろん、安全といってもその意味はまったくおなじではない。ウイルスのように目に見えない敵と、目に見える敵との違いがあった。

安全か経済という二者択一はけっして望ましいものではないが、ギリギリに追い込まれたときには、どちらか一方を選ばなくてはならないのである。それは2020年に発生した新型コロナウイルス感染症による「ロックダウン」もそうであったし、江戸幕府が断行した「鎖国」もおなじだった。

だが、「鎖国」の実態は、すでに「常識」となっていると思うが、「ロックダウン」と同様に完全な封鎖ではなかった。ヒトの移動には大幅な制限がかけられたが、モノとカネは比較的自由に動き回っていたのが「鎖国」の実態である。現在のインターネット社会とは比較にならないが、それでも情報もまた自由に動き回っていた。

つまり、安全と経済にどう折り合いをつけるかという問いに対する答えが「鎖国」であったのだ。「鎖国」が完成した1641年、「地球寒冷化」の影響で全世界的に厳しい状況にあったことはすでに見たとおりだ。「鎖国」の理由として「キリシタン禁教」があげられることが多いが、それだけが理由だったわけではない。国境を越えたヒトの動きを自由にしておくことによる問題が、さまざまな面で生じていたのである。なによりも国内の安定と国力充実が至上命題であった。

## 「鎖国」とカッコ付きで書く理由

いまではよく知られているように、「鎖国」という表現をいちばん最初につかったのは江戸時代後期の蘭学者・志筑忠雄である。将軍綱吉の時代、オランダ東インド会社の出島商館の医師として来日したドイツ人ケンペルの著書『日本誌』の一部をオランダ語版から訳して、1801年に「鎖国論」と名付けたのである。ケンペル自身は、「鎖国」と表現される状態を絶賛していた。ケンペルにとって、「鎖国」はネガティブなものではなく、きわめてポジティブなものだったのだ。

「鎖国」ということばがあったからこそ、その対語となる「開国」ということばも生まれたことを考えると、歴史的な意義のきわめて大きかったことばであったといえよう。だが、問題は、はたして江戸時代が「鎖国」であったかどうか、という点にある。ヒトの移動には大幅な制限がかけられたが、モノとカネは比較的自由に動き回っていた状態が「鎖国」の実態であったとしたら、それは実際にどのような状態であり、そしてその状態のもとで日本人はいかに行動していたのかを明らかにする必要がある。まずは、「鎖国」状態が実際にどうだったのか、具体的に見ていくことにしよう。

### 「4つの口」をつうじてモノとカネ、そして情報が行き来していた

江戸時代の日本が「4つの口（長崎・対馬・蝦夷・琉球）」で開かれていたということは、すでに常識となりつつあるだろう。だが、重要なことは、ヒトの出入りは厳しく制限されていたということにある。これをさして「海禁」という。

「海禁」じたいは日本だけではなく、中国も朝鮮も同様であった。江戸時代後期になるにしたがい、自給自足体制が確立してくるので貿易額は減少していくが、江戸時代をつうじて貿易そのものがなくなったことはない。貿易比率はおおよそ10％程度であったと推計さ

れている。

しかも、輸入されていたのは生活必需品ではなく贅沢品であった。もっとも多かったのが、中国産の高級生糸である。当時の日本では身分制度のもと服装制限があり、支配階層が着用する絹織物のため材料の生糸が必要であったからだ。当時は世界最高級の中国産生糸に対する需要がきわめて高かったのである。生糸についで多かったのが漢方薬の材料である朝鮮人参であった。いずれも当時の日本では生産できなかったため輸入されていたが、一般庶民にはあまり縁のない話であった。

輸出は、江戸時代初期にはもっぱら銀であり、銀が枯渇してくると銅になった。銀も銅も貨幣として国内で使用されるだけでなく、輸出品でもあった。中国もオランダも日本に求めていたのは、もっぱら銅である。中国は銅銭鋳造のために銅を輸入していたのである。鉱物資源の枯渇にともない、俵物（たわらもの）と呼ばれ中国で需要の大きかったフカヒレや干しナマコ、干しアワビなどの海産品が輸出品として登場する。オランダ向けには、陶磁器や漆器、蒔絵などの工芸品があげられる。

現在の日本も貿易依存度が3割以下と、世界的にみても低水準にあるが、江戸時代の経済も内需中心で貿易依存度は低かった。大きな違いは、江戸時代は「エネルギー革命」以前であり、燃料はすべて自給自足だったことだ。燃料とエネルギーだけでなく食糧も輸入に頼って輸入依存度が高くなっている現状は、平時には問題ないにしても有事には大きな問題になる。その意味では、「鎖国」時代のほうが安全な時代であったといえよう。

**「長崎口」は中国船とオランダ船**

長崎が世界に開かれていた港であったことを知らない人は、まずいないだろう。長崎ではオランダと中国の貿易商人が出入りしていたが、貿易金額から見たら、中国商人とオランダ商人という順番で書くのがただしい。比率としては中国がオランダの2倍と定められていたからだ。長崎は幕府の直轄地であり、貿易金額は幕府によって管理されていた。管理貿易だったのだ。

オランダは日本が貿易を許していた唯一の西欧勢力であったが、国交は結ばない関係だった。オランダ東インド会社（VOC）は、東アジアにおける拠点をジャワ島のバタヴィア（現在のジャカルタ）に置いていた。その支店ともいうべき商館（ファクトリー）が出島に置かれていた。幕府の命令で平戸から出島に移されたのである。

オランダは、国際情勢にかんする情報ダイジェストである「オランダ風説書」の提出が求められていた。幕府にとって重要な情報だったからだ。

いわば参勤交代のような形で、年1回の江戸参府が義務化されていた商館長と医師などを除いて、船員の上陸は認められず、その他の商館員たちはほぼ1年中出島のなかに幽閉状態にあった。オランダ人はキリシタン、すなわちカトリックではないが、キリスト教徒であることには変わりなかったからだ。彼らこそ「異国」の地で「鎖国」状態にあったというべきだろう。新型コロナウイルス感染症の2020年現在なら、「ステイホーム」を強いられていたといってもいいかもしれない。

中国商人は最初は自由に出入りができたが、オランダ商人が1641年に「出島」に移されたあと、1689年以降は「唐人屋敷」以外の出入りが禁止されることになった。現地の日本人とのトラブルが多発していたからである。ただし、オランダの出島もそうであったが、中国の唐人屋敷も、特別に許可された日本人は出入りが許されていた。通詞（通訳のこと）などの役人と遊女である。

中国商人もまた、東アジアから東南アジアにかけて国際情勢のダイジェストである「唐船風説書」の提出を義務づけられていた。「オランダ風説書」で幕府がとくに重視していたのはシャム以東までの動向であり、東アジアにかんしては「唐船風説書」で把握していた。この両者をつきあわせて国際情勢を把握して、つねに国防に直結する国際情勢を把握していたのである。

## 「対馬口」と「琉球口」、そして「松前口」の先に見据えていた中国

次に対馬と琉球について見ておこう。対馬は朝鮮半島をつうじた中国への窓口であり、琉球は東シナ海をつうじた中国への窓口であった。それぞれの「口」の先には巨大な中国が存在していたのである。

江戸時代で正式な外交関係があったのは、朝鮮王国と琉球王国のみである。これを「通信」という。先にもみたように、中国とオランダは貿易関係にはあったが、正式の外交関係は結んでいなかった。中国は、日本とのあいだのような貿易のみの関係を「互市」と呼んでいた。清朝とロシアとの関係も「互市」である。その後、日本はオランダとは「開国」後に、清朝とは明治維新後に外交関係を結んでいる。

幕府は、対馬藩に朝鮮王国との外交関係と貿易を担当させていた。朝鮮王国は、明朝（のちに清朝）の朝貢国であった。薩摩藩が実効支配していた琉球王国もまた朝貢国であった。幕府はこの2つの王国をつうじて、間接的に中国との関係を持ち続けたのである。幕府が

必要としたのは、江戸時代前期には絹織物に必要な高級生糸であり、中国関連の海外情報であった。

近世においては、中国との関係は「華夷秩序」のもとで朝貢にもとづく上下関係しかなかったこともあり、それを嫌った幕府は清に対して朝貢国となることを求めず、清朝もまた日本を警戒しながらも朝貢国になることを求めなかった。中国にとっては、経済的に持ち出しの多いのが朝貢国であり、どうやら日中双方ともに、面倒なことにはかかわりたくないという姿勢であったようだ。

幕府は松前藩に、当時は蝦夷地と呼んでいた北海道に住むアイヌ人などの少数民族との貿易を担当させていた。幕府は、17世紀半ばの「明清交替」期には、清朝を樹立した女真族（＝満洲族）が北方から日本に侵略してくるのではないかと警戒していた。当時の地理的認識から、実態以上に恐れていた可能性もある。

「明清交替」から1世紀以上たってから南下してきたのは、清朝ではなくロシアであった。積極的にロシアとの交易を検討し、蝦夷地の開発を考えていたのは田沼意次であったが、前任者の政策を否定した松平定信は、ロシアとの交易は最小限にとどめ、蝦夷地はあくまでもバッファーゾーンとしておこうと考えていた。だが、結局ロシアとの貿易が開始されることは「開国」後までなかった。

## 日本人になった外国人たち

日本人が国境を越えて行き来することが禁じられていただけでなく、外国人もまた入国を大幅に制限されていた。だが、もちろん例外はあった。ただし、「鎖国」制度が確立した時点では、日本人というアイデンティティはそれほど明確ではなかったことに注意する必要がある。キリシタンではないというくらいの、きわめてあいまいなものでしかなかった。

「朝鮮の役」の際、とくに「第2次侵攻」時の朝鮮南部占領時代に日本に強制的に連れてこられた朝鮮人たちのうち、帰国せずに定住し同化した者たちも少なくなかったことについてはすでに見てきたが、捕虜となって日本に連れてこられたのは朝鮮人だけではなかった。朝鮮軍の援軍に入った明軍の兵士たちのなかにも捕虜となった者たちがいたのである。

討ち入りで有名な赤穂浪士の四十七士というと、いかにも日本の武士道そのもののような存在だが、そのうちの1人は中国人3世であった。武林隆重の祖父は浙江省の杭州出身で、朝鮮の役で日本軍の捕虜になった明軍の中国人兵士だったのである。

この時代にはまだ、19世紀以降に登場した「純血」などという概念そのものが存在しなかったのである。だからこそ、東アジアではヘアスタイルで人間を区別していた。日本人男性は丁髷（ちょんまげ）、清朝時代の中国人男性はポニーテールの弁髪、琉球は琉球髷である。しかも、おなじ丁髷といっても、身分によって異なるスタイルが求められていた。集団アイデンティティの見える化である。

形から入れということで、月代（さかやき）をそった丁髷姿で和服に身を包み、刀を差した侍の姿で屋久島に上陸した西欧人がいた。キリシタン禁教後の日本に潜入を試みた最後のカトリック司祭でイタリア人のシドッティである。1708年のことだ。だが、片言の日本語しかしゃべれない大男に不審の念を抱いた島民が役所に通報、あっという間に逮捕されてしまった。「鎖国」体制になってから半世紀が経過し、日本人意識が定着しつつあり、またその意識も変化しつつあったのであろう。

## 特別に許可された外国人は入国可能だった

特別に許可を受けて入国を許可された外国人というと、江戸時代後期のシーボルトや初期のケンペルのような西欧人が想起されるだろう。だが、こういった第一級の知識人で、しかも詳細な日本研究を残した人だけではない。じつに多様な人びとが日本に入国している。

先にみたオランダ商館長（カピタン）の江戸参府、このほか将軍代替わりごとに来日する朝鮮王国の使節団であった「朝鮮通信使」や琉球国中山王府の慶賀使節である「江戸上り」（＝琉球使節）である。オランダ商館長は毎年1回の江戸参府で、江戸時代をつうじて合計166回、朝鮮通信使は合計12回（ただし、最後の12回目は対馬まで）、琉球国中山王府の「江戸上り」は合計18回行われている。

このほか、明朝末期に来日した黄檗宗の禅僧などが、幕府によって入国を許されている。日本の黄檗宗の開祖である隠元禅師は、幕府のバックアップを得て京都の宇治に萬福寺を開山しているが、江戸時代中期まで萬福寺の歴代住持は、中国から招かれた僧侶が務めていた。

8代将軍吉宗の時代には、見世物としてベトナムから象が連れてこられた。貿易の便宜を図ってもらおうとして中国商人が将軍に献上したものだ。象と一緒にベトナム人の象遣いもやってきた。吉宗はまた、オランダ東インド会社に依頼してペルシア馬を取り寄せ、オランダ人の馬術師を西洋馬術の師範として、数度にわたって江戸に滞在させていたこともある。

これらはいずれも外国人特別の許可を受けて日本に入国するというパターンだが、例外的に外国に駐在していた日本人たちもいた。朝鮮の釜山にもうけられていた対馬藩の「倭館」である。出島のオランダ人と同様、倭館の日本人も倭館の外に出ることは許されていなかった。朝鮮との折衝はすべて倭館内部で行われた。

また、薩摩藩の出先機関が琉球王国の離島に設置されていたが、琉球王国は薩摩藩に実効支配されていたので、限りなく内地の延長線にあったというのが実態であろう。あくまでも独立国であると偽装して、清との朝貢関係による貿易上のうまみを吸い上げたのである。

現代でも、どこの国でも工事現場などは「関係者以外立ち入り禁止」は当たり前だし、海外でも紛争地の場合、外国人の立ち入り禁止場所はいくらでもある。20世紀後半の冷戦時代のソ連には、「閉鎖都市」という、外国人のみならず国民にも立ち入りが禁止されていた都市が存在した。そう考えると、江戸時代の「鎖国」も、そのなかで生きていた人間には、それほど違和感がなかったと考えるべきではないだろうか。

## 外国に漂流した日本人、日本に漂着した外国人

「海禁」政策によって日本人が外国に出て行くことも、出国した日本人が帰国することも禁止されていたが、本人にはそのつもりがなくても意図せず外国に行ってしまうこともある。その代表的なケースが漂流だ。海難事故による出国である。

瀬戸内海や河川では問題はないが、日本沿岸を西回りと東回りで航行していた輸送船や、沿岸漁業に従事する漁船が悪天候のため流されて、日本海側であれば親潮に流されて中国北部の沿岸や朝鮮沿岸に漂着してしまうことが頻繁に発生していた。太平洋側であれば黒潮に流されて無人島に漂着してしまうこともあった。

考えてみれば当たり前のことなのだが、日本列島の周囲はすべて海、海、海である。現在でも台風シーズンには海難事故は多発している。気象情報の発達した現在でも海難事故はなくならないのであるから、ましてや江戸時代においては避けられなかったというべきだろう。まさに「板子一枚下は地獄」である。

漂流して米国に渡った幕末のジョン万次郎の話や、ロシアに渡った江戸時代後期の大黒屋光太夫の話は、文学作品や映像作品のテーマになっているので、比較的よく知られているだろう。だが、江戸時代をつうじて漂流者は無数に存在している。名もなき人たちであ

ったから知られていないだけなのだ。なかには、南海の孤島・鳥島に流されて20年以上たってから生還した男たちのケースもある。日本海側だけでなく、太平洋側に漂流した者もあった。

「鎖国」時代には、朝鮮や中国に漂着した日本人を日本に送還する仕組みや、逆に日本に漂着した外国人を国交のある朝鮮や琉球をつうじて中国に帰還させる仕組みができあがっていた。江戸時代初期の１６４０年代に満洲に漂着しながら、幸いなことに日本に帰還できた日本人漁民たちがいる。たまたま「明清交替」という、中国大陸の激動期に遭遇したということもあって、『韃靼漂流記』としてまとめられたので記録に残ることになった。ただし、江戸時代後期の19世紀になって増えてきた米国船に連れてこられた日本人の受け取りは拒否している。米国とのあいだに国交がなかったからだ。

漂流したのは日本人だけではない。「鎖国」に入る前にも外国船の漂着があった。秀吉の時代に高知沖で座礁したサン・フェリペ号事件のスペイン船や、英国人のウィリアム・アダムズ（＝三浦按針）、オランダ人のヤン・ヨーステンが乗船していたオランダ船リーフデ号などが代表的な例だろう。その後も、外国船の漂着が発生している。航海上手の彼らであっても、日本近海での海難事故は避けられなかったのだ。

漂着したのは西欧人だけではない。中国の貿易船が流されて「漂着」していたケースも多々あったことは、房総半島に漂着した唐船のケースが『漂着船物語』(大庭脩)に詳しく紹介されている。貿易金額から見たら唐船のほうが多かったので、当然というべきだろう。

日本に向かうはずだったのに朝鮮に漂着してしまったオランダ人がいる。オランダ東インド会社の会計担当だったヘンドリック・ハメルは、1653年に朝鮮の済州島に漂着してしまい、その後13年間にわたって朝鮮に抑留されていた。ようやく彼を含む8人が脱出に成功し、五島列島で日本船に救助され長崎の出島に向かっている。残りのオランダ人も、対馬藩と朝鮮との交渉の結果、朝鮮からの出国が認められることとなった。その詳細は『朝鮮幽囚記』に記されている。

### 幕府はつねに国際情勢に敏感だった

日本は、もちろん日本一国だけで成り立っていたわけではない。これは現在だけでなく、当然のことながら16~18世紀当時もそうであった。東アジアの国際関係のなかに日本が存在していたのである。

だが、16世紀以前の時代と異なっていたのは、国際関係が東アジアを舞台にしながらも、プレイヤーがアジア人だけではなくなったことだ。あらたに西欧人が参入してきただけでなく、西欧人は消え去ることなく居座り続けることになる。

日本が「鎖国」に踏み切ったあとも、依然としてポルトガルはマカオを拠点に中国にいたわけだし、スペインは植民地としたフィリピンに居座っていた。オランダは現在のジャワ島のバタヴィアを本拠地としていた。なお、イングランドは、自己都合で１６２３年に撤退したが、50年後の１６７３年に貿易再開を求めて来航したものの、幕府は拒否している。

『琉球と日本・中国』（紙屋敦之）によれば、幕府は、著者の紙屋氏が「マカオ＝ルソン・ライン」とよぶ海上の境界線を認識していたようだ。言い換えれば、「マカオ＝マニラ・ライン」となる。マカオとマニラは、それぞれポルトガルとスペインの拠点である。ともに幕府が敵とみなしていたカトリック国であった。

幕府は、日本からみて「マカオ・ルソン＝ライン」の内側は「口」、その外側を「奥」と区別していた。「口」は東シナ海、「奥」は南シナ海にほぼ該当する。中国から直接長崎に来航してくる船を「口船」、中国船だが東南アジアから長崎に来港してくる船を「奥船」

としている。東南アジアのバタヴィアから来港するオランダ船は、別分類としていた。琉球王国の八重山諸島に薩摩藩の「大和在番」が設置、対カトリックの最前線基地としていた。

ポルトガル船の来航は禁止したが、東南アジアとの貿易は禁止していない。東南アジア各国で、東アジア海域の貿易を担当し、運航しているのは中国人であった。長崎の唐人屋敷で中国語（長崎の唐通事が使用する中国語は「南京官話」とよばれた中国南方の共通語であった）の通訳と日常生活の細々したことまで面倒を見ていた唐通事は、そのほとんどが中国人かその二世・三世だった。この事情は朝貢国の琉球王国もおなじで、「久米三十六姓」といわれる福建出身の中国人とその子孫が貿易関連の実務一切を取り仕切っていた。

長崎には中国語の唐通事のほか、オランダ語の阿蘭陀通詞（ただし、17世紀半ばまでポルトガル語が貿易用語だった）と東京通事、暹羅通事、呂宋通事、モウル通事が存在した。それぞれ東京（トンキン）はベトナム、暹羅（シャム）はタイ、呂宋（ルソン）はスペイン領フィリピン、モウルはインドのことで、イスラーム教徒だという。イスラーム商人は、シャムから来航する中国船に乗船して長崎まで来ていた。ただし、江戸時代中期以降は東南アジア方面からの来航が減ったため重要性は低下している。

## 「マカオ=ルソン・ライン」

出所：紙屋敦之『琉球と日本・中国』（山川出版社、2003）

## 軽武装の専守防衛体制だった江戸時代の日本

国際関係という観点からみた「鎖国」とは、公式な外交関係をもつ「通信国」と、貿易関係のみもつ「通商国」とを区分していた体制のことだ。「通信国」は、具体的には朝鮮王国と琉球王国の2カ国に限定、「通商国」も清朝の中国やオランダなど大幅に制限しており、しかも貿易は幕府の管理下においていた管理貿易体制であった。

「鎖国」が可能だったのは、当時の日本が強国だったからだ。スペインと断交した際も、ポルトガルと断交した際も、いずれも日本に反撃を加えてこなかったことが、その事実を証明している。

江戸時代は、現代風にいえば、軽武装の専守防衛体制であったといっていいだろう。対外拡張主義であった秀吉の時代との根本的な違いである。軽武装の専守防衛体制を実行するためには、日本が外国に侵略しないだけでなく、外国に日本を侵略させないことが重要だ。

まず外国侵略の可能性については、3代将軍家光の時代に大陸で「明清交替」（1644年）が起こったが、それ以前から来ていた明朝からの出兵要請に対しては、慎重な情勢判断を行ったうえで、家光はいずれも出兵を断っている。明の遺臣がたびたび日本に出兵要請を行っているが、これらもみな断っている。徹底した不干渉主義を貫いたのである。

外国に侵略させないという点にかんしては、幕府は日本周辺の安全確保に大きな注意を払っていた。とりわけ外国船の往来の激しい東シナ海の安全確保が重要だった。幕府にとって必要不可欠なシルクを輸入するルートにあたっていたからだ。このため幕府は、日本近海で中国船に掠奪を行っていたオランダ東インド会社に対して厳重注意を行っている。中国船の船主たちから訴えがあったためである。

五島列島の南西に位置する女島(めしま)付近から、実質的に日本の「領海」という意識があったようだ。女島は、「江南」地方から長崎に来航する船が通過する最初の日本領土である。現在でももちろん、地政学上きわめて重要なポイントであり、ヘリポートがある。江戸時代には、五島藩が女島奉行をおいており、オランダ船は女島に接近すると、キリスト教関連品をすべて隠匿する工作を行っていたようだ。

「鎖国」体制をとることによって、領海意識や国境意識が誕生したのである。この点については、あらためてヨーロッパにおける「主権国家」の誕生とからめて考えてみることにしよう。

## トラブルの原因となる日本人の出国を禁止

『鎖国と国境の成立』（武田万里子）によれば、幕府が初期段階でとくに気を配っていたのは、日本人が海外でトラブルを起こさないこと、トラブルに巻き込まれないようにすることであった。

16世紀末から海外に出た日本人は、約10万人と推定されているが、とくに「大坂の陣」の終結（1615年）で行き場を失った浪人や雑兵で、海外に渡航して乱暴狼藉を働いた者も少なくなかった。たとえば、有名な山田長政は、1612年ごろに朱印船でシャムに渡っている。このほか無名の日本人たちが東南アジア各地で傭兵として、あるいはならず者として暴れており、幕府には現地政府から苦情があいついでいたのである。この事態に幕府はたいへん苦慮していたのだ。

基本的に日本人が海外でおこしたトラブルは現地政府に処分をまかせるという方針であったが、幕府はトラブルの芽そのものを摘むため、日本人の海外出国と武器輸出を禁止することにする。キリシタン入国の警戒だけが問題だったわけではないのである。幕府は日本人の帰国も禁止したが、東南アジア各地に定住した日本人は、約1万人と推定されている。その多くが現地人と共生の道を選び、現地社会に同化していった。

トラブルメーカーとなる日本人の出国を禁じたものの、国内に仕事をつくりださなければ問題は根本的に解決しない。そこで幕府が採用したのが、国内の開発事業であった。江戸城の造成や都市建設といったインフラ関連の土木工事によって、失業者となっていた浪人を暴れさせないよう、そのエネルギーをポジティブな方向に転換させたのである。

それでもなお、「戦国の気風」が消えてなくなったわけではない。世の中がようやく落ち着いて安定化してきたのは、関ヶ原の戦い（１６００年）から約1世紀後の元禄時代のことであった。

以上、「鎖国」体制の実態と「鎖国」の理由について見てきたが、「内向き」になることによって、内部固めが行われたことは大いに強調しておくべきだろう。「鎖国」体制下の17世紀に、日本の人口は急増したのである。先に見た江戸建設事業だけでなく、全国各地で新田開発が活発に行われた結果であった。

## 『ガリバー旅行記』(1726年)に登場する日本

『ガリバー旅行記』は、アイルランド聖公会の司祭であった作家ジョナサン・スウィフトが書いた空想小説である。『ガリバー旅行記』というと、「ガリバー型寡占」という経済用語があるように、「小人の国リリパット」でガリバーが巨人としてふるまうという話だけが知れ渡っている。だが、それはあくまでも「第一部」の話だ。

「第2回目の航海」では、逆に「巨人の国」でガリバーが小人扱いされる話となっている。ギリシア神話からはじまって、『進撃の巨人』にいたるまで、巨人ものは長い伝統をもつ物語のモチーフだ。ここまでは知っている人も少なくないだろう。

だが、それで終わりではない。さらに「第3回目」の航海では、空を飛ぶ島にある王国「ラピュタ」に行く。宮崎駿のアニメ映画『天空の城ラピュタ』の「ラピュタ」はここから取っている。そして、バルニバービ、ラグナグ、グラブダブドリップとめぐる。

「第4回目の航海」では「馬の国フウイヌム」にいくことになる。SFの『猿の惑星』を先取りしたような内容である。「馬の国」では人間は「ヤフー」と呼ばれている。ネット企業大手のヤフー（Yahoo!）の企業名はそこからとったものだが、じつはあまりいい意味ではない。ヤフーとは、「邪悪で汚らしい毛深い生物」という設定になっている。つまり人間とはそういうものなのだ。

旅の最後は、「鎖国」時代の日本に立ち寄ってから英国に帰国するというストーリーになっている。オランダ人（Hollander）だと偽って、「日本の東南部にあるザモスキと呼ぶ小さな港町」に上陸したとある。「ザモスキ」（Xamoschi）が正確にはどこにあるのか不明だが、ガリバーは「エド」（Yedo）で将軍（Emperor）に謁見したり、十字架に「踏み絵」した（trampling upon the crucifix）という話も出てくるので、ヨーロッパではよく知られていた情報を利用したのだろう。最後は「ナンガサク」（Nangasac）から喜望峰回りで英国に帰国したという設定になっている。「ナンガサク」は、長崎のことだろう。

『ガリバー旅行記』が出版されたのは1726年で、日本では8代将軍吉宗の時代にあたる。17世紀末に徳川綱吉に謁見したドイツ人ケンペルの『日本誌』が英国で出版されたのは1727年なので、スウィフトは参照していないようだ。「鎖国」を礼賛したケンペルの『日本誌』は、その後各国語に翻訳されて、日本にかんする知識の基礎となった。

## 哲学者カントは「鎖国」時代の日本を絶賛していた!

ドイツの観念論哲学者カントの哲学書は、学生時代に私も何冊か読み始めたが、面白くないので途中で読むのを止めて現在に至っている。ところが、『永遠平和のために』（1795年）という小論文のなかで、カントは江戸時代の「鎖国」体制下の日本を絶賛している。実際にどういう発言をしているのか見ておこう。

中国（ヒナ）と日本（ニポン）は、外国からの客を一度は受け入れてみた。しかし後に中国は来航は認めても入国は認めなくなった。日本は来航すらヨーロッパのオランダに認めるだけで、来航したオランダ人をまるで捕虜のように扱って、

自国の民の共同体から切り離したのだが、これは賢明なことだったのである。（＊引用は、中山元訳による）

人生のほとんどを生まれ故郷の、バルト海に面した東プロイセンの商港ケーニヒスベルクで過ごし、旅に出ることもなかったカントは、同時代の日本人と似たような人生を送っていたといえるかもしれない。いながらにして全世界の情報を収集していたという点において、21世紀のネット社会の住人のようでもある。世の中全般に通じていた雑学的知識の持ち主で、会食の席で座を盛り上げる名手だったらしい。けっして孤独な哲学者ではなかったのだ。

そんなカントには、最終講義シリーズをもとにした『人間学』（1798年）という本があってじつに面白い。日本人についても言及されている。

自国に住む異国人の見慣れない顔は、かって生国を出たことのない住民たちにとっては嘲笑の的となるのが普通である。たとえば、日本の子どもたちは、そこで商売を営んでいるオランダ人のあとから走ってきて、「おやおや、大きな眼玉

左から2人目がカント

をしてやがる、なんて大きな眼だろう」と叫ぶ。（＊引用は坂田徳男訳による。漢字と仮名を改めてある）

おそらく日本にかんする知識は、18世紀初頭に日本に滞在したケンペルの『日本誌』から得たのだろうが、18世紀の終わりに日本に滞在したスウェーデン人医師で植物学者だったツュンベリーの著書にも目を通していたようだ。

カントが亡くなったのは1804年、このあとから世界はふたたび激動を始めることになる。「フランス革命」を礼賛したカントであったが、その後につづいた「ナポレオン戦争」でヨーロッパは大混乱に陥る。『永遠平和のために』に描かれた世界は崩壊する運命にあったのだ。大英帝国の勝利をもたらした「第2次グローバリゼーション」は経済過熱化をもたらし、さらには大戦争やパンデミックで自らの息の根を止める。これはすでに16世紀から17世紀の歴史で見てきたのと同様の事態であった。

## 世界初の「ヘゲモニー国家」となったオランダの盛衰――掠奪から貿易へ

オランダといえば、「鎖国」時代の日本と関係をもっていた唯一のヨーロッパ国家であるというのが、日本人にとっての「常識」であろう。

興味深いことに、日本で幕藩体制が確立していくのと、オランダが独立に向けて動き出した時期がほぼ同時であっただけでなく、この動きには相互にかなり密接な関係があった。17世紀のオランダの黄金時代をもたらした要因の1つが日本との貿易によるシルバー(銀)の獲得にあり、シルク(絹製品と生糸)を必要としていた日本とはウィン・ウィンの関係にあったのだ。オランダの衰退が始まってからは逆に、西洋文明吸収の媒介役として、日本にとってのオランダの重要性が増していった。

新興国オランダは、17世紀前半に絶頂を迎え、そして衰えていった。「ヘゲモニー国家」というのは、圧倒的な経済力をもった覇権国のことを意味している。経済史家のウォーラーステインの「世界システム論」によるものだ。世界商業で覇権を握ったオランダは、たちまち世界の金融業における圧倒的優位を獲得し、アムステルダムが世界の金融市場の中心となることでオランダの通貨ギルダーが世界通貨となった。生産から始まり商業、そして金融に及んで絶頂を迎え、そしてヘゲモニーが崩壊していくというパターンは、このあと大英帝国でも米国でも繰り返されることになる。

これからオランダの盛衰について見ていくが、「第1次グローバリゼーション」の波にうまく乗れたオランダが、世界初の株式会社である「オランダ東インド会社」によって国際貿易をリードした冒険的な商業国家であると同時に、堅実な産業国家であり、しかも技術輸出国家でもあったことを見ておく必要があろう。

## 新興国オランダ誕生前

日本ではオランダとよんでいるが、正式にはネーデルラント王国という。王制となったのは1815年のことで、フランスに占領されるまでは共和制をとってきた。ネーデルラントは、直訳すれば「低地」となる。

「神が天地を創造し、オランダ人がオランダ国土を創造した」とオランダ人がいうように、海岸沿いに広がる湿地や泥炭地や干潟を埋め立てて土地を増やしてきた歴史をもつオランダだが、面積は九州と同程度と小さい。オランダは低地であるだけでなく、砂が堆積しやすい遠浅の海岸には天然の良港がない。

海面からゼロメートル以下の土地も多く、津波の被害をたびたび受けてきた。このため堤防をつくり、治水技術によって自然の猛威と戦ってきた土地柄である。オランダは、まさに人間のチカラによって築いた国であるといえる。しかも、人口も少なかった。1600年時点で150万人で、1700年時点でも200万人程度である。同時代の日本の人口の10分の1以下である。

現在のオランダは、1648年に神聖ローマ帝国（スペイン）から正式に独立することになったプロテスタント圏の北部7州のことを指している。カトリック圏であった広義のオランダ語地域の南部は、フランス語圏のワロン地域とあわせて、1830年にベルギーとして独立することとなり、現在に至っている。EU欧州連合の本部はベルギーの首都ブリュッセルに置かれている。つまり、この地域はヨーロッパの中心と認識されているわけだ。

南北に分離する以前のこの地域は、もともと中世をつうじて先進地域であった。干拓による北部の農業、イングランドの羊毛をつかった南部の毛織物工業が盛んであり、自治都市が密集している地域でもあった。中世においては、商品経済に適合した集約的な労働がどの地域よりも発達した地域であり、勤勉と工夫にもとづく近代的な商業倫理がもっとも受容されやすい素地があった。

さらに物流上の地の利もあった。北海に注ぎ込むライン川とマース川（フランス内ではムーズ川という）の河口が位置しており、バルト海を中心とする北方貿易の集積地であると同時に、南方からの通商路の終着点でもあった。物資の集積地は同時に情報の集積地ともなる。ヒト・モノ・カネ・情報の集積地となっていた。

## オランダの独立と勃興

ネーデルラント17州は、15世紀以来ハプスブルク家の所領であり、カルロス1世（神聖ローマ皇帝カール5世）とその息子フェリペ2世の時代にはスペイン領となっていた。だが、そもそもスペイン本国の産業は弱く、「新大陸」で獲得したシルバー（銀）の大半はスペインを素通りして「スペインの金庫番」となっていたネーデルラントに流出していた。

スペインの財政が困難になるにつれ、繁栄するネーデルラントに対する締め付けが厳しくなり、重税を課されるようになっていった。このような状態のなか、ネーデルラントの商人や貴族のあいだにプロテスタントのカルヴァン派の信仰が浸透していき、カトリック擁護の盟主を任じていたスペインへの反感が増していく。「八十年戦争」（1568〜1648年）が勃発することになったのはそんな状態のなかであった。「八十年戦争」は独立戦争として始まったわけではないが、1581年に独立を宣言することになる。この戦争は、結果としてネーデルランド北部7州の独立をもたらすことになった。

スペインにとって「八十年戦争」は、プロテスタント国イングランド征伐に投入した「無敵艦隊」の敗北（1588年）とともに財政状況をさらに悪化させ、没落への道を準備する主因になった。

**日本とオランダの関係が始まった**

オランダと日本の接触が始まったのは1600年、「オランダ東インド会社」が設立される2年前のことだ。この接触があったからこそ、オランダ東インド会社が日本に拠点を設置することになったわけである。

オランダ人はすでにポルトガルの海外展開にしたがって来日していたが、本格的な接触が始まったのは1600年3月のことだ。関ヶ原の戦いの半年前のことである。豊後国臼杵（現在の大分県臼杵市）の海岸に1隻の外国船が漂着したことからすべては始まった。それが、オランダ船のリーフデ号であった。

オランダのロッテルダム・マゼラン海峡会社が派遣した5隻のオランダ船団は、1598年6月、アジアを目指しロッテルダムを出港、マゼラン海峡を回って太平洋に入るコースをとった。東回りの航路はポルトガルが押さえており、西回りの航路はスペインが押さえていたため、その間隙を縫うしかなかったのだ。日本を目指して航海を続けたが、スペイン船とポルトガル船の襲撃や嵐にあい、最終的にたどり着けたのはリーフデ号1隻のみであった。

漂着した時点で多くの船員が死亡していたが、少数の生存者のなかにいたのが高級船員のオランダ人ヤン・ヨーステン、イングランド人の航海士ウィリアム・アダムスだった。オランダ船漂着の情報を耳にした徳川家康により大坂に召し出され、家康に信任され2人とも家臣となる。ヤン・ヨーステンは朱印状を与えられ貿易家として活躍、江戸城内の屋敷あとが八重洲とよばれるようになった。アダムスは家康の外交顧問としても活動、三浦半島にもらった知行地と航海士でもあったことから三浦按針と称することになる。

ちなみに、この接触があった時点では、家康との面談は通訳を介してポルトガル語で行われている。当時のシナ海域における貿易関係の共通語（リンガ・フランカ）はポルトガル語だった。オランダ東インド会社の設立後に、本格的に日本進出が始まることになるが、その時点ではまだオランダ商人もポルトガル語を使用していた。

## オランダ東インド会社の設立

現存する世界最古の会社は、社寺建築を専門とする日本の金剛組である。聖徳太子の時代の578年までさかのぼることができるが、株式会社化されたのは1955年になってからのことだ。この時点で個人企業体制から株式会社に移行している。現在は髙松建設の子会社となっている。

世界最古の株式会社は、1602年に設立されたオランダ東インド会社である。正式には「連合東インド会社」（VOC）という。先に見たロッテルダム・マゼラン海峡会社など数社を統合して設立されたが、資本を集約して大規模化するとともに、危険負担をシェアするために株式会社形態が採用されたのである。過度の競争を回避して、国際貿易におけるオランダの競争力を強化することを目的としていた。アフリカ南端の喜望峰から東の貿易独占権、外国との条約締結権など、政府から幅広い権限を与えられていた国策会社であった。

「東インド」とは、「デマルカシオン」というポルトガルとスペインのテリトリー分割を踏まえた表現だ（第2章参照）。当時の西欧人は、ヨーロッパとアフリカ以外を「インド」としていたのである。したがって、「東インド」と「西インド」は対になる表現であり、「東インド」はポルトガルのテリトリー、「西インド」はスペインのテリトリーに該当する。「喜望峰から東の貿易独占権」を与えられていたオランダ東インド会社は、ポルトガルとはもろに競合することになったわけだ。

東インド会社というと、どうしても2年前の1600年に設立されたイングランドのそれが話題になることが多いが、世界史的な意味をもつのは18世紀以降のことだ。17世紀において重要なのはオランダ東インド会社のほうである。東インド会社がフランス、スウェーデン、デンマークにもあったことは意外と知られていない。さらにいえば、オランダにもイングランドにも「西インド会社」があった。

オランダ東インド会社の資本金は約650万ギルダーで、イングランドの東インド会社の2倍以上あった。本社はアムステルダムに設置され、重役会は17人会で構成されていた。海外拠点はジャワ島のバタヴィア（現在のジャカルタ）を中心に、日本の平戸（のちに出島）をふくめて各地に置かれることになる。

危険負担を減らすために株式会社制度を採用したが、その本質にはカルテル的な競争回避があった。江戸幕府が採用した「鎖国」は貿易という点からみたら「管理貿易」であり、オランダが採用した東インド会社という「自由貿易の制限」も、ともに自由競争の否定である点は共通している。

だからこそ、18世紀後半になってからアダム・スミスが『国富論』で「重商主義」を批判し、東インド会社をやり玉に挙げたのだ。スミスが批判したのは「管理貿易」であり、賞賛したのは「自由貿易」である。グローバリゼーションの本質は自由経済であり、「第2次グローバリゼーション」はそれを極端にまで進めたのである。

オランダ東インド会社もイギリス東インド会社も解散して現在は存在しない。オランダ東インド会社は、フランス占領下の18世紀末1799年12月31日に解散された。イギリス東インド会社は1858年に解散された。したがって、現在のところ世界最長命の株式会社は、1670年に英国の北米植民地で設立された勅許会社のハドソン湾会社（HBC）となる。毛皮貿易のため始まったこの会社は、現在でもカナダと米国で各種の小売りチェーンを所有し経営している。

## オランダ東インド会社のアジアネットワーク

オランダ東インド会社は、1621年にジャワ島のバタヴィア（＝ジャカルタ）を確保しベース基地とした。その後、セイロンのゴール、喜望峰のケープを植民地としている。オランダの対日ビジネスは、オランダ東インド会社のネットワーク全体のなかに位置づける必要がある。というのは、当時も現在もヨーロッパから見たら、日本は極東に位置しているからだ。東回りであれ、西回りであれ、日本はヨーロッパからもっとも遠い国だ。アダム・スミスは『国富論』のなかで次のように記している。オランダ東インド会社のネットワークの説明としてよくできているので、そのまま引用しておこう。

喜望峰がヨーロッパと東インド各地との中間に位置しているように、バタヴィアは東インドの主要国のあいだに位置している。その地は、インドからシナ、日本へいたるもっとも交通頻繁な要衝の地にあり、しかも、この航路のほぼまん中に位置している。そのうえヨーロッパとシナのあいだを航行するほとんどすべての船舶はバタヴィアに寄港するし、そのうえ、さらに、バタヴィアは東インドにおける沿岸貿易の中心的主要市場である。ヨーロッパ人によって営まれる部分だけでなく、土着のインド人（＊）によって営まれる沿岸貿易についてもそうであり、シナ、日本、トンキン、マラッカ、コーチシナのみならず、セレベス島の住民の手で航行する船が、よくこの港で見られるほどである。このような理由から、喜望峰やバタヴィアのような植民地は、こうした有利な位置のおかげで、排他的な独占会社が、時おり、その成長に加えたと思えるすべての障碍をのりこえることができた。とりわけバタヴィアは、世界に稀な不健康という特別なハンディキャップすらも克服することができたのである。…（後略）…（II－421）（＊）ジャワの住民のことであろう。なお訳文のシナは中国のことであるが、訳文そのままとした。

オランダもまた東回りでヨーロッパから東アジアまでやってきたのであり、基本的にポルトガルが開拓した道をたどったに過ぎない。いわゆる「オランダ海上帝国」は、「ポルトガル海上帝国」を乗っ取って成立したのである。

新興勢力オランダの攻勢に対して、ポルトガルはインド貿易の本拠地で「副王」を置いていたゴアや中国貿易の拠点マカオは死守したが、虎の子のモルッカ諸島やきわめて重要なマラッカはオランダに奪い取られてしまった。オランダは1621年に設立した「西イ

## オランダ東インド会社のアジア展開

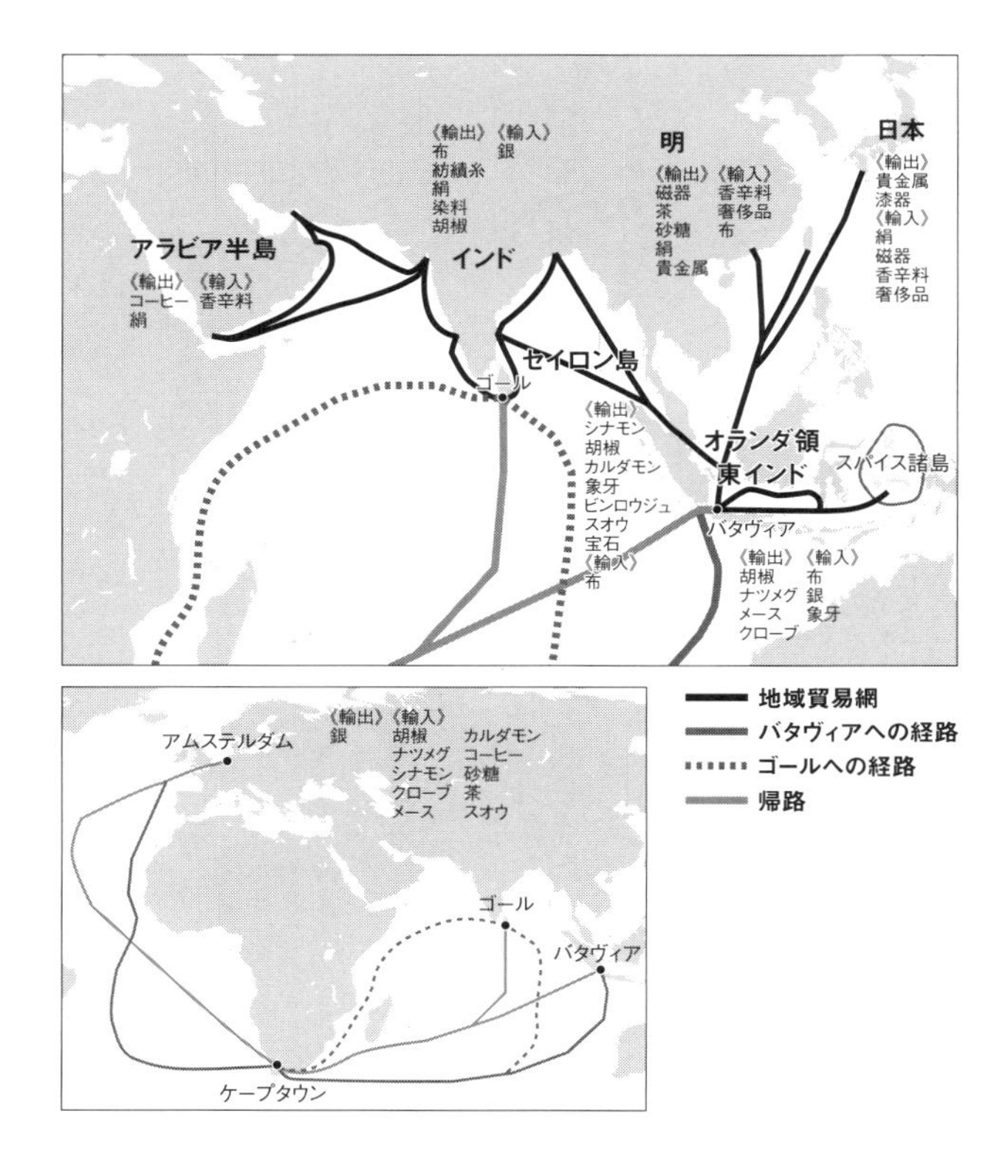


出所：www.businessinsider.com/rise-and-fall-of-united-east-india-2013-11
掲載の図をもとに作成

ンド会社」をつうじて、ポルトガル植民地ブラジルにも食い込んでいた。

**略奪経済から国際貿易に転換したオランダ**

海賊といえばハリウッド映画作品の影響もあって「カリブの海賊」が連想されるだろう。キャプテン・キッドやフランシス・ドレイクなど実在の人物が有名だが、海賊行為が行われていたのはカリブ海だけではなかった。東アジアの海域でも海賊行為が行われていた。「倭寇」はさておき、イングランド人もオランダ人も海賊行為を働いていたのである。

カリブ海と同様、イングランドとオランダが狙った相手はポルトガル船とスペイン船。スペインへの憎悪は、カトリックへの憎悪と重なるものであった。新興のプロテスタント勢力が、カトリック勢力に対して海賊行為を働き、掠奪によって得た資産で資本蓄積を図っていたのだ。

16世紀後半になると、「私掠船（しりゃくせん）」による海賊が活発化した。私掠船というのは、国家公認の海賊船のことであり、国王から特許状を得ていれば、戦時においては敵国の艦船に限って自由に掠奪することができたのである。海賊行為は当時のヨーロッパでは合法とされていたのであり、純然たる経済行為であるとみなされていた。

西洋法制史家の山内進氏の『掠奪の法観念史』によれば、掠奪による戦利品の配分は、海上と陸上とでは異なっていたという。海上においては、艦船を用意するなど危険負担は100％国王だとされていたので、原則としてすべて国王に帰属するものとされていた。もちろん、国王から配下に配分されることになるわけだが、陸上の戦闘においては一定の金額までは戦利品として取得した兵士のものとされたのであった。第2次世界大戦におけるソ連軍兵士による掠奪や強姦も、その流れにあると考えて差し支えない。

国際法の父グロティウスは、『自由海論』（1609年）で「公海自由の原則」を主張したことで知られているが、この「原則」はもともとオランダが、ポルトガルとスペインに対抗するための理論的根拠として示されたものだ。ローマ教皇が仲裁に入って実現した「デマルカシオン」批判である。

その背景には、マラッカ海峡におけるオランダ東インド会社の商船によるポルトガル船を拿捕し積み荷を奪い取った「カタリナ号事件」（1603年）があった。積み荷の総額は、1602年に設立されたばかりのオランダ東インド会社の総資本の約半分ほどに達していたという。イングランド政府の年間支出の1年分相当の金額に該当する。グロティウス自身はマラッカを訪れたことはないが、東インド会社の株主である再洗礼派教徒から、掠奪は倫理に反するという異議申し立てがあり、掠奪の法的正当性を弁護するため、重役会から依頼されて論陣を張ったのである。

この略奪的資本蓄積は、オランダ東インド会社の活動に大きな意味をもったことは間違いない。その後、1640年にはオランダはポルトガルからセイロンのゴールを奪い、翌1641年にはマラッカを奪っている。

対するカトリック側では、ローマ教皇庁が1610年に『自由海論』を禁書目録に掲載しているほか、同時代のポルトガルの法学者フレイタスが、港湾や沿海は「領海」であるという議論を展開してグロティウスに反論している。1960年代以降に活発化している「領海」や「排他的経済水域」を先取りした議論だ。その意味では、すでにグロティウスの「公海自由の原則」は現在では大幅に制限つきのものとなっている。

掠奪と自由貿易はきわめて密接な関係にあるが、掠奪は1回限りの行為なので永続性がない。掠奪が永遠に続くことはないことをよく理解していたオランダは、いち早く略奪行為から足をあらって国際貿易に移行している。商売上手なオランダと違って、商売下手で資本蓄積が進んでいなかったイングランドは海賊行為からの足抜けに時間がかかったため、海賊というと「カリブ海のイングランド」という連想が固定化したのであろう。

## 東アジア海域からイングランドを締めだしたオランダ

リーフデ号で来日した2人がオランダとイングランドというプロテスタント勢力を日本に呼び寄せることになったわけだが、対日ビジネスの開始がオランダよりやや遅れて1613年から始まったイングランドは、結局1623年にわずか10年間で撤退することになる。

先行していたオランダからさまざまな妨害をされていただけでなく、そもそもオランダ人と比べて商売上手だったとは言い難い。江戸時代初期の日本市場で特産品の毛織物を販売するというプッシュ戦略（＝プロダクトアウト）のイングランドと、日本市場が欲しがるモノをネットワークをフルに活用して調達するというプル戦略（＝マーケットイン）のオランダを比べたら、その違いは歴然だろう。

だが、イングランドが日本市場から撤退した背景には、貿易不振だけでなく「アンボイナ事件」（1623年）があった。アンボイナ事件とは、スパイス諸島とよばれていたモルッカ諸島をめぐるオランダとイングランドの対立が殺人事件に発展したものである。もともとポルトガルが領有していたものをオランダが奪い取り、さらに後発組のイングランドが割り込んできた状況で発生している。現地のオランダ商館では、イングランドの商館員が日本人傭兵をつかってアンボイナ島のオランダ商館を襲撃しようと計画しているというフェイクニュースをでっちあげ、拷問による虚偽の自白をもとに20名（イングランド人10人、日本人9人、ポルトガル人1名）を処刑したのである。

結局、この事件をきっかけにマラッカより東のイングランド勢力はオランダ勢力によって駆逐され、対日ビジネスからも撤退することになった。イングランドは、これ以後インドと北米大陸への進出に専念することになったが、このオランダの横暴に対して、イングランド国内は憤激に沸き返った。劇作家ドライデンの『アンボイナ』（1673年）は、アンボイナ事件を題材としたドラマである。このおなじ1673年に貿易再開を求めて、イングランドから朱印状の写しをもって「リターン号」が出島にやってきたが、幕府は国王チャールズ2世の王妃がポルトガル出身であるという理由で断固拒絶している。この情報は、対日貿易を独占したいオランダが幕府に吹き込んだらしい。

## オランダ東インド会社と会計システム

オランダ東インド会社がどのように株主還元を行ったか見ておこう。民間資本だけではなく、国家の資本も投入されていたという意味で、オランダ東インド会社は国策会社であり、貿易の独占権と引き替えに、オランダの国益を守ることが課せられていた。

定款では以下のように定められていた。「オランダ市民が株を買えること」、「積み荷が現金化されたら、その正味利益の5％をすみやかに株主に支払うこと」、「専門の簿記係を雇うこと」、「重役会は定期的にすべての商船と倉庫の棚卸しを行うこと」、「原則6年に1回は公的監査の結果を公表すること」などなどである。

17世紀オランダでは「複式簿記」がはじめて全面的に採用され、オランダ黄金期の基盤となった。『帳簿の世界史』（ジェイコブ・ソール）の「第5章　オランダ黄金時代を作った複式簿記」には、「その繁栄の秘密は、複式簿記にあった。国の統治者が史上初めて複式簿記を学び、それを政権運営に取り入れることができた」とある。

会計によって黄金時代を迎えることができたのは新興国オランダであったのに対して、会計を活かすことができなかったのはスペインであった。「太陽の沈まぬ帝国」をつくりあげたスペインだが、植民地経営はずさんなものであった。会計による管理がずさんであったため、つねに資金不足に悩まされており、巨大な財政赤字をつくることになったのである。

だが、世界最初の株式会社となったオランダ東インド会社においてすら、複式簿記は根付かなかったと『帳簿の世界史』の著者は指摘している。オランダ東インド会社の帳簿類は、現在もすべてオランダ国内のアーカイブに保存されており、この点にかんしては賞賛に値するが、設立から解散までの200年間でじつは一度も黒字になったことがなかったらしい。その意味では、オランダ東インド会社は、かならずしも手放しで礼賛すべきモデルではなさそうだ。

## 手工業の発展

17世紀オランダの「黄金時代」というと、どうしても東インド会社など貿易関係を想起してしまうが、本国の経済を堅実に支えていたのはさまざまな手工業であった。

この時代のオランダを100種類の職業をつうじて見える化しているのが、アムステルダムで出版されたヤン・ライケンによる銅版寓意詩画集『人の営み』(1694年)という本だ。

ほぼ同時代の元禄時代の日本にも、『人倫訓蒙図彙』(1690年)という、目で見る職業図鑑のような本がある。上は公卿から下は乞食まで、あらゆる職業を使用している道具と一緒に図示したものだ。職業をつうじてオランダの黄金時代と比較するとなかなか面白い。ともに分業が進んだ商工業社会であったからだ。

銅版寓意詩画集『人の営み』には、『ヤン・ライケン　西洋職人図集──17世紀オランダの日常生活』（小林頼子訳著、池田みゆき訳、八坂書房）という日本語版があるので、オランダの特徴が明確にでている職業をピックアップしてみておこう。コメントは訳著者によるものを、取捨選択し再編集したうえで掲載することにした。

8．ブラシ職人　＊寓意：「汚れたところを探し出せ」
（コメント）当時のオランダ人の清掃への関心の深さがうかがえる。実際、彼らの清潔への執着は外国からの訪問者をつねに驚かせたようだ。

27．秤職人　＊寓意：「正確にはかれ、厳しき神の御目の前で」
（コメント）貿易で栄えたオランダ商人にとって、商品の重さを正確に量ることは、まさしく死活問題だった。

33・鉄砲鍛冶　＊寓意：「美徳の銃は役に立つ、汝の出会う悪徳の前で」
（コメント）17世紀オランダでは、銃身や発火装置などの金属部分は鍛冶職人、木製の銃床は大工職人が手がけ、装飾などは金細工師、宝石職人が担当した。当時のオランダ製の鉄砲は、ヨーロッパで最高水準とされていた。

35・帆げた職人　＊寓意：「洪水が押し寄せてきたら、身を守れ」
（コメント）銅版寓意詩画集『人の営み』には、海運国らしく、造船にかかわる一連の職業が取り上げられている。「35・帆げた職人」「36・ビルジ用ポンプ職人」「37・船大工」「38・綱職人」「39・帆布職人」の5つである。当時は、オランダの革新的なマストの製作技術がヨーロッパじゅうに広まっていた。

68・漂白工　＊寓意：「魂の衣を汚す者に、清潔を誇る資格なし」
（コメント）漂白や洗濯の仕事は、17世紀オランダで一大産業に成長。地場のものはもとより、他国で織られたリネンが、出荷前の段階で漂白のためオランダに送られてきた。汚れた洗濯物もオランダ国内のみならず、イングランドやフランスなどからも集まってきた。中心は、砂丘が漂白に適していたハールレムである。4月から10月の好天気の時期には、1つの漂白場で30～40人の季節労働者が働いていたという。オランダでは清潔は特別の意味をもつ。この業種の発展と無縁ではない。

71. 煉瓦工　＊寓意：「信仰はわれらを解放する、サタンの奴隷の身から」
（コメント）石材の乏しいオランダでは、泥が豊富なこともあり、ヨーロッパにおける煉瓦製造の中心地となっていた。建築物だけでなく、橋や舗装など用途はきわめて多様であった。

97. 商人　＊寓意：「先を見て、掘り起こし、永遠の善を求めよ」
（コメント）1608年設立の商品取引所では、世界中の商品相場が掲示され、各国語が飛び交うなかで取引が行われた。1609年にできた振替銀行は、各国通貨での決済を可能にした。

職業倫理としてプロテスタント、とくにカルヴァン主義の精神が浸透していたことが、

「寓意」から読み取ることができる。オランダの伝統的な町並みの簡潔さ、清潔さ、機能のよさにそれが現れている。カルヴァン主義が与えた影響については後述する。

## 干拓技術で世界初の「技術輸出国」となる

オランダは干拓によって、あらたに居住地域を増やしてきたことは先に見たとおりだ。同時代の日本でも、干拓と埋め立てによって各地で新田開発が活発に行われている。そもそも江戸じたい、埋め立てによって造成された土地である。家康が初めて入った1590年頃の江戸は、現在からは想像もつかないような葦(よし)の生い茂る未開発の湿地帯で不毛の地であった。

オランダは、日本に比べると干拓と埋め立ての歴史ははるかに長い。干拓は11世紀から13世紀のあいだに始まっているが、風車によって排水を行う干拓で海や湖を陸地化する事業は、オランダ北西部の「ベームスター干拓地」(1612年)から始まっている。干拓された造成地は海面より低い海抜ゼロメートル以下の土地が多く、洪水対策のため堤防の保全がきわめて重要であった。水の管理には干拓地の全住民の協力が必要であり、このため何ごとも話し合いで決めるという風土が生まれたと言われている。現代オランダは、ワークシェアリングにかんしては先進国であるが、このシステムも干拓地の管理を意味する「ポルダーモデル」とよばれている。

オランダの水利技術者がかかわった事業は、イングランドやフランスをはじめドイツや北欧などヨーロッパ各地に及んでおり、世界初の技術輸出国となったといえよう。18世紀後半に生きたドイツの文豪ゲーテが、生涯をかけて完成させた大作『ファウスト第2部』（1833年）でファウスト博士が携わることになる干拓事業は、オランダが念頭にあったようだ。

日本は「鎖国」時代には水利関係でオランダの指導を受けることはなかったが、明治時代以降はオランダの強い影響を受けており、デ・レーケなどの技術者がお雇い外国人として雇用され、全国各地の河川改修事業や港湾整備に大きな足跡を残している。地球環境問題と温暖化にともなう水問題が深刻化しているなか、長年にわたって蓄積されたオランダの技術と経験に学ぶべきものはきわめて多い。

### 風土と技術からみた「海洋国家オランダ」成立のメカニズム

経営戦略論の大家マイケル・ポーターに『国の競争優位』という大冊の名著がある。固有の制約条件のもとで、いかに国の優位性が磨かれてきたかを個別に検証した内容の本だ。だが、日本やスイスが取り上げられていながら、残念なことにオランダは取り上げられていない。

幸いなことに、「海洋国家オランダ」成立のメカニズムを究明した『ニシンが築いた国オランダ─海の技術史を読む』（田口一夫）という、電波航法の専門研究者が書いた好著があるので、この本をもとにして「海洋国家オランダ」成立のメカニズムを整理しておこう。

ニシンというと、日本ではなんといっても数の子であり、あとは身欠きニシンくらいしか思い浮かばないのだが、オランダや北欧では、北海で大量に獲れるニシンを塩漬けや酢漬けとして日常的に食べている。しかも、オランダではいまでも初物のニシンをナマで食べるのだという。それほど、オランダにとっては重要な意味をもつ魚なのだ。そのニシンが「地球寒冷化」のため南下しており、大量にとれたのが17世紀であった。

そのニシンから話を説き起こすことにより、いっけん何のつながりもない雑多な事実が、過酷な風土とそこに花開いた技術という観点から互いに関連づけられて解き明かされる。

ニシン漁の発達から始まった漁業は捕鯨業にも発展していく。当時の捕鯨は鯨油をとることが主目的だったのだが、その鯨油関連のビジネスから食品分野の多国籍企業ユニリーバが生まれている。技術的な発展からいって、きわめてナチュラルな流れなのである。

水との戦いという過酷な環境で生きるには、意志と知力が不可欠である。そういう環境は風土と言い換えてもいいだろう。幸いなことにニシンという自然の恵みがあったおかげで、オランダはニシン漁にかかわる技術を出発点に、その後の国際貿易を中核に置いた「海洋国家」として急速に成長することが可能になった。

造船技術というハードウェアと操船技術というソフトウェアがあいまって、オランダの海事技術はニシン漁から遠洋航海へと発展していく。その結果、国際的な海上物流を担うまでに成長し、オランダ東インド会社によるインドネシア貿易の独占まで発展していく。

造船技術と操船技術の両者があいまって実現できたことは、中継地点であった喜望峰から直行便で航海したバタヴィア（＝ジャカルタ）までの距離を考えてみれば一目瞭然だ。海事用語にはオランダ語起源のものが多いらしい。

航海術の発展は、必然的に光学や物理学の発展をうながし、顕微鏡や天体望遠鏡などの光学機器の開発につながっていく。フェルメールの絵画に光学機器が応用されているのも、17世紀オランダならではというべきなのだ。

## フェルメールから見た「黄金時代」のオランダ

17世紀のオランダは、欧州における貿易と情報流通の中心地であったのだが、その最盛期に花開いたのが、レンブラントやフェルメールの絵画作品でもある。

フェルメールが生きたのは、3代将軍・家光から4代将軍・家綱の時代である。中継貿易を行うオランダ東インド会社が日本にもたらしたのは中国の絹製品が中心であったが、それ以外にも東インドのバタヴィア（＝ジャカルタ）を拠点にアジアに張り巡らせたネットワークを活用して、さまざまな物品を日本にもたらしていた。

その対価が日本産の「銀」であったことはすでに何度も述べたとおりだ。日本から銀が調達されなくなったあとは、銅がこれに代わる。銀や銅のほかにも、さまざまな日本物産を積んで、貿易ネットワーク上の各地に持ち込んで販売している。オランダ本国まで持ち帰っていた物品もあった。その筆頭にあげられるのが、貿易の返礼品として将軍から下賜された小袖（こそで）だ。

出島にあるオランダ東インド会社の商館長（カピタン）は、貿易をさせていただいていることを感謝するために、毎年1回、献上品を持参して江戸に赴き、将軍に謁見を賜わることになっていた。参勤交代のようなものだと考えていいかもしれない。その返礼品が大

フェルメールの作品「地理学者」（1669年頃）で学者が羽織っているのが「ヤポンス・ロック」。これは将軍の下賜品ではなく、オランダで複製されたものであろう。

量の小袖だったのだ。この日本産の小袖が、同時代のオランダでは大人気となっていたらしい。

「ヤポンス・ロック」という名前で、支配階層や富裕層のあいだではガウンとして大流行していたのだ。これは、フェルメールを含めた同時代のオランダ画家の作品に登場することでわかる。このほか、レンブラントが銅版画につかっていたのは日本の和紙であった。

### 「チューリップ・バブル」崩壊

世界初のバブル経済事件は17世紀オランダで発生した。いわゆる「チューリップ・バブル」である。バブル（泡沫）がはじけて、初めてそれがバブル（泡沫）だったと知る。人間の愚かな行動の実例として、なんども繰り返し言及されるのがバブルの物語だ。20世紀の後半に日本人も翻弄されたが、17世紀のオランダ人もまた同様だった。

世界経済の中心となっていたオランダ共和国は、海外貿易と投資活動によって富を蓄積した一部の富裕層の市民が牛耳る政治経済状況であった。そんな状況のもと、一攫千金を夢見た職人層などがチューリップ投機に人生を賭けるようになっていく。チューリップの球根が信じられないほどの値をつけたのである。「実物」の球根は、花を咲かせるまで地中に埋まっているのにもかかわらず、転売につぐ転売を重ねて価格は天文学的に高騰していった。

まさに、1980年代後半の日本の不動産バブルと酷似しているが、違うのは17世紀オランダはまだ資本主義の勃興期であったこと、20世紀後半の日本は資本主義の成熟後期にあったことだ。チューリップの球根であれ、不動産であれ、「実体」として存在していながらも、「情報」として流通し、「情報」であるがゆえにバブル的な熱狂を生み出したのである。ちなみに、チューリップというとオランダという連想をもつ人が多いと思うが、チューリップは17世紀にオスマン帝国のトルコからオランダに導入されたものだ。

「チューリップ・バブル」は、1637年2月に一夜にしてクラッシュした。とはいえ、当時のオランダは州ごとの独立性の高い連邦だったので統一市場が成立しておらず、バブル崩壊には地域ごとにタイムラグが若干存在したようだ。

「チューリップ・バブル」をどう評価するべきだろうか。『チューリップ・バブル―人間を狂わせた花の物語』の著者マイク・ダッシュは、以下のように総括している。「チューリップ投機は始まりから終わりまで、オランダ経済の辺境で行われていたに過ぎなかった」のであり、「貧者と野心家のあいだを駆けめぐった熱狂にすぎず、一般に考えられているのとは違って、オランダ経済にはほとんど何の影響ももたらさなかった」。おそらくこの見方が正しいのだろう。

18世紀前半にはイングランドで「南海バブル」、フランスでは「ミシシッピ会社詐欺」などのバブル事件が発生し、熱狂的な投機ブームとなったが、ともに1720年にバブルは破裂している。17世紀前半のオランダの「チューリップ・バブル」とあわせて「三大バブル事件」と呼ばれているが、まさに資本主義とバブルは切っても切れない関係にある。

同時代の日本でも、18世紀初頭の「元禄バブル」や、18世紀後半には「田沼時代」など未曾有の好景気にともなう状況が発生している。江戸時代の日本には、市場経済が成立していたのである。日本では、景気過熱になるとその反動で「重農主義」に戻そうとする動きがなんども見られたが、結局のところ民間経済の動きを押しとどめることはできなかった。

## オランダに嫉妬したイングランドが仕掛けてきた海戦

17世紀はオランダの黄金時代であったが、何ごとであっても一人勝ちというのは危険である。勝っている側は意識していなくても、負けを意識している側には豊かな国に対する嫉妬の感情が渦巻いているものである。黄金時代のオランダの繁栄を嫉妬し、自力で追い越すことができないなら武力で奪い取ってやろうと考えていたのは、とくにイングランドとフランスであった。

まずは、3次におよんだ「英蘭戦争」をみておこう。当時は世界有数の海軍国オランダと進化途上にあった海軍国イングランドとの海戦であった。植民地もふくめた地球規模の対立につながった戦争だ。最初に言いがかりをつけてきたのはイングランドの側である。

### 「第1次英蘭戦争」(1652~1654年)

イングランドは当時、「ピューリタン革命」という内戦によって国王を処刑に追い込み、王制を廃止して共和制になっていた。保護貿易の色彩の強い「航海条例」（1651年）が議会で可決・制定されたことをきっかけに海戦が始まった。

「航海条例」は、端的にいえば、オランダ商人による中継貿易の排除を目的としたものであった。当時のイングランドはオランダとは大きな経済格差があったからだ。イングランドがオランダ船団をイギリス海峡で襲撃し拿捕し始めたが、大艦隊の出動によって戦闘が拡大した。準備不足のまま戦争を仕掛けられたオランダ海軍は苦戦し、当時の海軍提督も海戦で戦死して敗れることになる。イングランド優位の情勢であったが、1653年に護国卿（ロード・プロテクター）となったクロムウェルは、プロテスタント勢力としてオランダと和議を結ぶことにし、「ウェストミンスター条約」の成立によって戦争は終わった。

イングランドが得たものは、イングランド近海の制海権であり、オランダ商人による中継貿易の排除を実現した。さらに、イングランドを憤激させた「アンボイナ事件」（1623年）についてもオランダ側が譲歩し、オランダ政府が賠償金を支払うことで決着している。

## 「第2次英蘭戦争」（1665〜1667年）

「第2次英蘭戦争」は、イングランドでクロムウェル死後の共和制の混乱によって「王政復古」が実現したチャールズ2世の時代、イングランドが北米のオランダ植民地ニューアムステルダムを占領したことから始まった。

オランダはイングランド軍に無条件降伏し、ニューアムステルダムが奪われてニューヨークと改名された。第3次英蘭戦争で一時奪回したが、ふたたび奪われてイングランド領となりニューヨークで固定化することになる。オランダは大西洋における海上権を失うことになった。人口小国のオランダには植民地維持の負担が大きかったというべきか、あざなえる縄のごとしというべきか、これまでポルトガルの植民拠点を奪ってきたオランダは、これ以降イングランドに奪われる側に回っていく。オランダの撤退後はイングランドとフランスが本格的に北米で植民地建設を行うことになる。

1667年には、デ・ロイテル提督率いるオランダ艦隊の一部がイングランドのテムズ川をさかのぼって、ロンドンから目と鼻の先にあるチャタム軍港を襲撃、艦船の多くを焼き討ちにして沈め、一級船艦のロイヤル・チャールズ号を捕獲し、オランダまで曳航するという快挙を成し遂げている。これはオランダ映画『提督の艦隊』（2015年）のハイライトシーンとして再現されている。

「第1次英蘭戦争」と同様に、イングランド艦隊はオランダ商船の拿捕やオランダ諸港の封鎖を行おうとしたが、財政難のため失敗している。

## 「第3次英蘭戦争」（1672～1674年）

反オランダ感情を強めていたフランスのルイ14世は、イングランドのチャールズ2世と密約を結び、フランス軍は1672年にオランダに侵攻して国土の大部分を占領した。

陸上ではフランス、海上ではフランス海軍とイングランド海軍の連合艦隊と海戦を交えることになったオランダは、第2次英蘭戦争の英雄デ・ロイテル提督がふたたび指揮をとることになった。連合艦隊もオランダ艦隊もともに大きな損害を被りながらも、オランダがやや優勢で戦争は終結した。

危機に瀕した国内ではオラニエ＝ナッサウ家の総督職復帰を望む声が強まり、若いオラニエ公ウィレム3世が軍最高司令官、ついで統領に就任する。陸上のフランスの侵攻に対しては、オランダ側は堤防を決壊させて洪水を引き起こし、オランダを水浸しにするという捨て身の作戦を決行してフランス軍を孤立させ、かろうじてフランス軍によるアムステルダム占領を防いだ。この結果、総督ウィレムの政治的地位が向上し、オランダは危機を乗り切ることになった。

### イングランドの「名誉革命」はオランダ衰退への道を開いた

17世紀にいち早く「ピューリタン革命」と「名誉革命」という2つの革命を経験したイングランドだが、「名誉革命」は、英国側から見た説明がなされることが多い。「立憲君主制」(=君臨すれども統治せず)の道を開いた無血革命なのである、と。だが、オランダ側から見ると異なる評価が必要になる。ヘゲモニー国家オランダの没落とイングランドへの選手交代を招く結果となったからだ。

イングランドはオランダをうまく使って「立憲君主制」の道を開いたのである。というのは、「名誉革命」はイングランド国内の「革命」だが、オランダが全面的にコミットしたものであるからだ。どういう意味なのか見ておこう。

国王ジェームズ2世がカトリックだったイングランドでは、議会はプロテスタントの王を求めていた。そこで白羽の矢が立ったのがオランダ総督ウィレムであった。ウィレムの妻メアリーはジェームズ2世の娘だが熱心なプロテスタントであり、プロテスタント国オランダ総督のウィレム自身もジェームズ2世の甥であった。オランダ総督のウィレムは、イングランド国王になれると期待し賭けにでた。大艦隊を率いてイングランドに侵攻したのだ。

大艦隊を編成するには資金が必要だ。資金提供を申し出たのは、オランダのユダヤ人金融業者フランシスコ・ロペス・スアッソであった。無担保で資金提供したが、見返りは十分以上に受け取ることになった。賭けに勝ったのはウィレムだけではない。「名誉革命」を機会に、このユダヤ人金融業者はイングランドに移ることになる。

無血革命によってジェームズ2世が追放され、娘のメアリーが王位に就くことになったが、配偶者のウィレムが強く主張したため、メアリー2世とウィリアム3世が共同君主として即位することに議会は同意した。米国南部のバージニア州にあるウィリアム・アンド・メアリー大学という名門大学は、植民地時代の1693年に認可されたため、そう命名された。

ウィリアム・アンド・メアリーは、王位に対する議会の優位を認めた「権利の宣言」に署名し、「権利の章典」（1689年）として発布された。国王の専制を排除する近代的な議会制民主主義の確立となり、「君臨すれども統治せず」という立憲君主制につながっていく。

「名誉革命」がきっかけになってオランダとイングランドが逆転することになったのには、大きくいって2つの側面がある。軍事とそれを支えた金融である。「名誉革命」以降、イングランドとフランスは「第2次百年戦争」とよばれる覇権をめぐる対立抗争の時代に入る。ヨーロッパ内だけでなく、植民地であった北米やインドで戦争が繰り返された。

同君連合になったことで、イングランドとオランダは重複によるムダを排除し、大陸国オランダと島国イングランドで海軍保有比率が逆転すると、海軍はイングランドに優位性が発生することになった。これにより、3次にわたる英蘭戦争では互角であったオランダ海軍の地位が低下していくことになる。

イングランドは議会の承認で税収から戦費を捻出できただけでなく、イングランド銀行の設立により、戦費の調達も容易になった。オランダから金融関係者がイングランドに移住し、国際金融の中心はアムステルダムからロンドンへと徐々にシフトしていくことになる。

金融業者をはじめとしたビジネス関係者だけでなく、ビジネスチャンスを求めてさまざまな人材がオランダからイングランドへ流出していくことになる。アダム・スミスの先駆者となった『蜂の寓話』の著者マンデヴィルも元オランダ人である。ユダヤ系の投機家で経済学者のリカードもまたそうだ。オランダは、イングランドに「軒先を貸して母屋をとられた」といっていいかもしれない。

17世紀の黄金時代の投資に対するリターンで生きていた18世紀のオランダの富裕層は、経済学者ケインズのいう「アニマル・スピリット」を失ってしまったのであろう。「血気」や「野心的意欲」を失って、金利生活者としてコンフォートゾーンに入ってしまったのである。『繁栄と衰退と』（岡崎久彦）という本の副題は「オランダ史に日本が見える」というものだが、この本が最初に出版されてから30年近くたついま、たしかに21世紀以降の日本現代史をオランダ衰退の歴史と重ね合わせて見てしまうことは避けられない。

なお、ここまでイングランドと記してきたが、ウィリアム3世死後の「1707年合同法」においてイングランド王国とスコットランド王国が一王国に統合すると宣言されたため、正式名称は「グレート・ブリテン連合王国」となった。略して「連合王国」（UK）である。以下、本書では特別にイングランドをさす場合を除いて、「英国」と表記することにする。

## ピョートル大帝と榎本武揚という、スケールの大きな2人の男のオランダ造船業を介した奇しき縁

オランダの造船所といえば、まずは17世紀末のピョートル大帝、そして19世紀半ばの榎本武揚を想起すべきであろう。

若き日のロシア皇帝ピョートル大帝が即位した翌年の1697年から3年間にわたる西欧各国視察旅行途中で、単独行動をとってオランダの造船所で身分を隠して4ヶ月も一工員として徒弟修業したという愉快なエピソードが知られている。

幕臣の榎本武揚は、幕府がオランダに発注した軍艦の造船監督を兼ねてオランダに留学している。留学期間は幕末の1863年から足かけ3年にわたった。榎本は、幕府がオランダ政府に依頼して開講した海軍伝習所の2期生で、蒸気船の技術については油まみれになって熱心に習得していたという。帆船と蒸気船の違いはあるが、現場重視のマインドは、ピョートル大帝とおなじである。

面白いことに、明治維新後の日本は、西欧モデルの「近代化」の研究のため、1871年から足かけ2年にわたって「米欧回覧使節」として総員46名の大規模使節団を米国と欧州に派遣しているが、ピョートル大帝の西欧諸国視察旅行もまた、250人規模の大使節団であった。明治新政府もロシア帝国も「西欧近代化」開始にあたって貪欲に科学技術の粋を吸収し、外国人専門家を招致しているのである。日本とロシアの近代化開始には、約1世紀半のタイムラグがあったことになる。

ピョートル大帝時代のオランダはすでにピークは過ぎており、「名誉革命」後に覇権国がオランダからイングランドに移動した転換期であった。ときのイングランド国王は、オランダ総督を兼ねていたウィリアム3世である。

榎本武揚が留学した時代のオランダは、大英帝国とは比較のしようもない小国となっていた。榎本武揚は、もともと米国に留学するはずだったのだが、「南北戦争」の勃発のため留学先をオランダに変更したのであった。

榎本はまたロシアとの縁が深かった人物で、「箱館戦争」の敗戦による3年間の獄中生活後、許されて新政府に出仕、在ロシア公使として樺太・千島交換条約交渉のためにサンクトペテルブルクに滞在し、日本への帰国に際しては馬車でシベリアを横断している。

ピョートル大帝と榎本武揚、この桁違いにスケールの大きな2人の男の、オランダ造船業を介した奇しき縁である。

## 「西欧近代」の原動力となった「カルヴァン主義」と「新ストア主義」

1517年10月31日にマルティン・ルターが教会批判を行ってからすでに500年。そこから始まった「宗教改革」は、西洋史だけではなく世界史においてきわめて大きな意味をもつ出来事であった。「近代」をつくりあげたのは「宗教改革」であって「ルネサンス」ではない。

人文主義によって古典古代の原典研究が始まったルネサンスは、ギリシア語による「新約聖書」とヘブライ語による「旧約聖書」の本文を直接研究することを可能とした。その結果、カトリック批判が浮上してくる。その代表となったのがルネサンス期オランダの人文学者エラスムスである。ルネサンスは宗教改革を準備したわけだが、あくまでも中世末期の出来事であった。このことは強調しておく必要がある。

ルターはもともとアウグスティン修道会に所属していたカトリック司祭であり、半分は中世に足をつっこんでいた人である。スイスのジュネーブで神権政治を行ったジャン・カルヴァンこそ近代精神の源というべきなのだ。カルヴァンはもともと宗教家でも神学者でもなく、人文学者であり、徹底的に理詰めで聖書を原典研究した結果、カルヴィニズム（＝カルヴァン主義）という教義を集大成する。そして、このカルヴィニズムが「近代」の原動力となった。

**カルヴィニズムが資本主義を発達させた理由**

カルヴィニズムが重要なのは、「近代資本主義」をつくりだしたとされているからだ。

カルヴィニズムは、カルヴァンが「神政政治」を行ったスイスのジュネーブから始まり、オランダで大きな影響を与え、イングランドでは「ピューリタン」（＝清教徒）と称され、さらには北米植民地で影響することになった。改革派とよばれることもあるが、選挙によって選ばれた代表者が指揮を執る長老制をとっていたので長老派とよばれることもある。

厳格なカルヴィニズムが、その後の近代資本主義の原動力となっていったことは、ドイツの社会学者マックス・ウェーバーの『プロテスタンティズムの倫理と資本主義の精神』に詳しい。そもそも、なぜプロテスタンティズム、とくにカルヴィニズムの信仰が、逆説的に資本主義を発達させたのだろうか？

からくりはこういうことだ。カルヴィニズムの特徴は「予定説」にある。救われるか救われないかは、あらかじめ神によって決められているのであって、人間のあずかり知るところではない。救われるかどうかは人間にはわからないのだから、すべては神様にお預けして、人間は余計なことは考えず日々の活動に専念すればよいということになる。また、悪魔（サタン）との闘争は勤労によってなされるべきであり、神があらかじめ定めたことに対して悪魔は無力だとする。

だが、世俗的な活動に専念していると、そのうち神の存在そのものは重要ではなくなってくる。そしてカネ儲けが前面に出て資本主義が全面的に開花することになった。オランダやイングランド、さらには米国で資本主義が発達したのはそのためなのだ、と。

ただし、カトリックとは違って、個人が神と一対一で対面することが要求されることで、さまざまなひずみももたらされるようになる。果たして自分は救われるのかどうかという不安だ。この不安をしずめるために、ひたすら禁欲的に勤勉に職務を遂行する者が、世俗でも成功者への道を歩むことになる。だが、一方では不安に押しつぶされて精神を病む者もでてくる。後者が、この厳しい精神状況に堪えられず、逃避の方向を選択するに至ったのもけっして不思議ではない。カルヴィニズムの負の側面というべきだろう。

## カルヴァンは「利子」を正当化した

ビジネスという観点からみたカルヴィニズムの最大の特徴は、利子をとることを公認したことにある。カネの貸し借りで利子が発生することは、当たり前すぎて疑問に思う人は少ないだろうが、中世ヨーロッパではキリスト教によって否定されていた。金貸しが、非キリスト教徒であるユダヤ人に限定されていたのはそのためだ。現在でもイスラーム世界では、タテマエとして利子は禁止されている。

キリスト教世界では、現実の経済生活を踏まえて利子容認が徐々に準備されていったが、最終的に利子を完全に正当化したのはカルヴァンであった。商工業の発達が、ビジネスフレンドリーな教えを必要としたという時代背景がある。資本の増殖を本質とする資本主義は、利子を認めなくては成立しない。利子をとることが大手をふって認められたことで、近代資本主義が出発したといえる。

ちなみに、イスラーム世界では、さまざまな抜け穴があった。不動産売買を噛ませて実質的に利子をとる「リバー」などのテクニックは、地中海貿易をつうじて中世イタリアでもよく知られていたようだ。カルヴァンがやったことは、こうした利子回避のテクニックを高度化させることではなく、利子そのものを公認したことである。

## 商工業には都合のよい宗教だったカルヴィニズム

カルヴィニズムが、ビジネスフレンドリーな宗教であったことは間違いない。利子の取得を公認したことだけではなく、16世紀以降に勃興してきた商人層に都合のいい宗教であった。

そもそも商人は、時々刻々と変化する状況を自分で判断しなくてはならないし、自分が扱う商品を、すべて質と量で観察し評価しなくてはならない。自分で考えて自分で実行しなくてはいけないのである。それは、合理主義の精神と独立自尊の精神と言い換えてもいいだろう。実利を追求するためには、極端な話、どんな思想でもどんな宗教でも構わないのである。

そんな商人たちにとって都合がいいのがカルヴィニズムであった。カルヴィニズムは自助を重視し、自律的で自己に厳格な教えである。そのかわり、自分以外のなににものにも拘束されることを好まない。カルヴァン以前のルターの段階ですでに打ち出されていた「万人司祭説」があれば、カトリックでは不可欠な司祭が不要となる。信仰は内面化すればいいのであって、聖書が1冊あればそれで十分なのである。

以上、社会学者マックス・ウェーバーや英国の経済史家R.H.トーニーの仮説をもとにしてカルヴィニズムと資本主義の関係を記述してきたが、フランスの歴史学者ブローデルは、プロテスタンティズムが資本主義の推進力であるという考えを否定し、ヨーロッパでは経済世界の中心が、地中海から北ヨーロッパに移行した結果にすぎないとしている。現象としてはそのとおりだが、タマゴが先かニワトリが先かという議論とおなじで原因論の究明にはなっていない。

ドイツの経済史家のゾンバルトは、『恋愛と贅沢と資本主義』で、贅沢こそ資本主義の原動力だと主張する。オランダ東インド会社が扱った貿易品が日用品ではなく贅沢品であったことを考えれば、大いにうなずける説明だ。ウェーバーとゾンバルトの説明は、車の両輪として考えていいだろう。

### カルヴィニズムは「自由思想」を保証した

資本主義は、自由と個人を前提とした経済活動である。経済活動の自由は豊かな経済をもたらすが、経済的自由を手に入れると、つぎの段階では思想の自由を求めるようになるのが人間の本性だ。自由にものを考えることが許されているからこそ、あらたなアイディアや斬新なイノベーションが生み出されるのである。

厳格なカルヴィニズムが自由思想と共存できたのもまた、逆説的ながら歴史的事実である。実際にオランダとスイスほど、17世紀から18世紀にかけて自由思想家が安全に生きていける地域はほかになかったのである。デカルトやスピノザといった哲学者が存在できたのは、オランダでは思想の自由が保証されていたからにほかならない。

精神医学者の中井久夫氏は、『西欧精神医学背景史』で以下のような説明を行っている。宗教的寛容主義者が最終的にオランダやスイスを選んだのは、けっしてカルヴィニズムが彼らを歓迎したからではない。カルヴァン自身がそのお膝元のジュネーブで行った「神政政治」は、実際にはきわめて現実的に機能していたのであり、16世紀の苛烈な宗教セクト間の闘争に打ち勝ったオランダでカルヴィニズムが最終的に勝利したのは、近代国家を動かす有能な実務家たちを受け入れることができたからだ。世俗の職業に専念するというカルヴィニズムの職業倫理が、結果として有能な実務家や技術者が活動する素地を準備したのである。

「信仰の内面化」を強調したカルヴィニズムは、「内面の自由」という形で思想の自由につながっていったことも重要だ。目に見える宗教儀式を重視するカトリックに対して、信仰は個人の内面のものであると強調することは、見た目の違いを超えた「寛容の精神」を培うことにつながっていく。

カルヴィニズムの本拠となったオランダやイングランドは、カトリックは排除したがユダヤ教徒は受け入れている。宗教的な迫害を逃れてポルトガルから脱出してきたユダヤ人がアムステルダムを中心にコミュニティをつくっている。ユダヤ人は国際貿易を担った商人でもあり、当時のアムステルダムには経済的富が集積することになった。

『最強国の条件』の著者で中国系米国人の法学者エイミー・チュアは、寛容は勃興と、不寛容は衰退と密接に結びついていると指摘している。17世紀に黄金時代を享受したオランダと、16世紀に絶頂期を迎えながら衰退していったスペインは、「寛容」という点において鮮やかなコントラストを示している。ただし、こう付け加えることを忘れていない。最強国に勃興をもたらした「寛容」は次第に天井にぶちあたり、社会のなかに対立関係と憎悪をもたらすことになるのだ、と。21世紀の米国だけでなく、17世紀後半のオランダもまた例外ではなかったようだ。

## 「異端審問」と「魔女狩り」

16世紀から17世紀にかけて、キリスト教世界では「不寛容」の嵐が吹きまくった。カトリック世界の「異端審問」とプロテスタント世界の「魔女狩り」である。後者の魔女狩りは、圧倒的にプロテスタント世界の話であり、異端審問も魔女狩りも中世よりも、時代転換期の近世に多発したことに注意したい。

カトリック世界では、スペインから始まった「異端審問」が、ポルトガル、イタリア、そして「新大陸」の中南米や、インドのゴアでも行われている。異端審問の本質は「純化」にあった。不純なものを排除し、望ましい純粋な状態に回復することである。スペインの異端審問は、基本的にコンベルソ、すなわちキリスト教に改宗したユダヤ人を対象にしたものであった。死刑判決が出た者は火刑に処せられたが、これをスペイン語では「信仰のなせるわざ」を意味する「アウト・デ・フェ」という。ポルトガル語の「アウト・ダ・フェ」のほうがよく知られているかもしれない。

『大航海時代の日本人奴隷』（ルシオ・デ・ソウザ／岡美穂子）は、16世紀の戦国時代末期の日本で奴隷として売買されていた日本人についての研究だが、日本人奴隷の所有者の1人として改宗ユダヤ人のポルトガル商人が登場する。「異端審問」を逃れるため、彼はポルトガルから脱出してインドのゴアに逃れ、さらにマカオを経て長崎へ、スペイン領だったフィリピンのマニラへ、そこもまた危険になったのでスペイン領メキシコ（＝ヌエバ・エスパーニャ）まで逃亡を続けているのである。それほど異端審問の恐怖にさらされ続けていたのであり、カトリックという宗教とビジネスを別個に切り離して考えることは、当時のポルトガル人にもスペイン人にもできなかったのである。

カトリック世界で行われた「異端審問」だが、同時代のプロテスタント世界を中心に行われていたのが「魔女狩り」だ。敵対勢力の人間を「魔女」だとレッテル張りしたうえで告発や密告を行い、自白や拷問でまことしやかな証拠をでっちあげ、出口のない審問を行って処刑を行った集団ヒステリーのことだ。

もっとも激しかったのは、１５８０年から１６３０年の50年間に集中している。この時期は、「地球寒冷化」と重なっていることに注意したい。魔女狩りの犠牲者は、10万人から１００万人とされているが、正確な数字は不明である。「ケプラーの法則」で有名なケプラーの母親は、薬草をもちいた信仰療法を行っていたヒーラーであったが、彼女もまた「魔女」として告発され処刑されている。ただし、「魔女狩り」の対象となったのは女性だけではない。男性もまた少数ではあるが対象となっている。魔女は英語ではwitchというが女性名詞ではない。

魔女狩りの背景にあったのは、呪術を使うとされた魔女に対する民衆の恐怖心であった。とくに16世紀から17世紀にかけて、魔女狩りが爆発的に増えたのは、時代の激変期に社会不安が増大したことと関係している。不安解消のために、わかりやすい説明と答えを探し出し、よくできたストーリーによって安心したかったためだ。

オランダは、もっともはやく魔女狩りが終わった国であることに注目したい。その他の地域よりも、1世紀以上はやいのである。つまり、当時のヨーロッパでもっとも先進国となっていたオランダでは、いち早く「脱魔術化」が進展したのであった。

「魔女狩り」が終息することで、ヨーロッパでは「脱魔術化」が進展し、18世紀の啓蒙主義へとつながっていった。だが、21世紀の現在、時代はふたたび「再魔術化」の方向に向かっているようだ。インターネットの発展が、かえって疑似科学やフェイクニュース、陰謀論や妄想を蔓延させているが、この状況は16世紀から17世紀にかけてと、よく似ているといえないだろうか。

### イングランドとオランダにおける聖書の翻訳

ルターの最大の功績は、一般民衆が読めるように聖書のドイツ語訳を行ったことにある。それまでカトリックで使用されてきたのはラテン語聖書であって、当然のことながら学問をつんだ司祭しか読むことができず、司祭しかキリスト教の教えを説くことができなかったのである。

ルター訳聖書が近代ドイツ語の基礎となったが、ドイツ語の読み書きが定着していったのは、それ以降であることに留意しておきたい。17世紀ドイツを代表する思想家ライプニッツも、その著作の多くを当時のヨーロッパの国際語であったフランス語で書いている。

実際に聖書が読まれるようになるには、識字率の向上が不可欠であった。ルターの時代にはまだ識字率は低かったので、ルター派の普及は文字を読める者が酒場でビラを読み上げるという形で行われていたらしい。

聖書が現地語に翻訳されたイングランドやオランダ、スウェーデンなどのプロテスタント諸国では、聖書を母語で読むことが推奨されたため識字率が向上している。一方、カトリック諸国では一般民衆の教化のために図像を重視したため、識字率が低いまま近代を迎えることになった。この事情については、歴史人口学者のエマニュエル・トッドが『新ヨーロッパ大全』で詳細に跡づけている。

ルター訳聖書が近代ドイツ語をつくったが、近代英語をつくったのは聖書とシェイクスピアである。ここでいう聖書とは『欽定訳聖書』（Authorized Version）のことだ。別名を"King James Version"というように、ジェームズ1世時代の1611年に出版されている。聖書の英語訳が、聖書の解釈を多様にして混乱を招き、さまざまな宗派（セクト）を誕生させ、「イングランド内戦」の原因となったとするのが17世紀イングランドの政治思想家ホッブズだが、英語聖書じたいは有益であるという発言もしている。それほど、聖書の翻訳がもった意味は大きいのである。

聖書のオランダ語訳がでたのは1637年で、この点にかんしてはイングランドがオランダに26年先行したことになる。これはオランダ改革派教会に受け入れられた翻訳となり、20世紀に至るまでその地位は続いたという。

とはいえ、「近代」がもたらした識字率の向上が「キリスト教原理主義」を生み出したというのは皮肉というか、逆説というべきだろうか。原理主義は、聖書を、書かれている文字としてそのとおりに読むことから始まった「近代」の産物なのである。けっして古代の産物でも中世の産物でもない。

## 亡命ユグノーによる技術移転

カルヴィニズムはフランスにも拡大していったが、創始者のカルヴァンはフランスからスイスへ亡命した神学者であった。彼が落ち着いたのはフランス語圏のジュネーブであり、カルヴィニズムがフランスに拡大したのも、ある意味では当然であった。

フランスではカルヴィニストたちは「ユグノー」とよばれていた。カトリックとユグノーは、激しい宗教戦争を引き起こしたが、特定の宗派が特定の権力と結びついたため、血で血を洗う激しい争いとなったのである。この状況については、フランス映画『王妃マルゴ』（1994年）を見ることをすすめたい。「宗教戦争」のすさまじさを映像で鮮やかに再現している。最終的にフランス国王アンリ4世による「ナントの勅令」（1598年）によって、はじめて個人の信仰が認められ、カトリックとプロテスタントの融和が図られることとなった。

ところが、なんと「ナントの勅令」は約1世紀後の1685年に太陽王ルイ14世によって廃止されてしまう。この結果、技能職が多くフランス産業の担い手であったユグノーたちは、大挙してイングランドやオランダ、スイスやプロイセンへと流出し、亡命先に定住することになった。オランダには約5・5万から7・5万人、イングランドには約4万から5万人、プロイセンには約3万人である。現代風にいえば「ハイテク難民」といっていいだろう。技術（テクノロジー）や技能（スキル）は人と一緒に移動する。技術と技能を身につけた難民の移動は、図らずも技術移転をもたらしたことになる。

フランスから逃れてスイスの山中に避難していったユグノーたちが持ち込んだのは、教会の聖器や十字架製作で培った金属加工技術であり、これがスイスの精密機械や時計製造の基盤となった。ドイツにもユグノーの末裔は多い。東ドイツ最後の首相であったデ・メジエールや、ドイツの左派政治家であったラ・フォンテーヌなど、フランス風の名字をもつドイツ人は、ほぼユグノーの末裔といって間違いない。プロイセン王国の首都であったベルリンには、フランス語由来の地名が少なくない。ユグノーを受け入れた国では産業がさらに発展し、ユグノーを排除したフランスは、世界経済の中心には一度もなることなく現在に至っている。

1685年の「ナントの勅令」廃止は、1492年のスペインからのユダヤ人追放とならんで、後世からは愚策の最たるものと見なされている。敵対勢力の排除という、イデオロギーに基づく政治的動機で、経済的な果実をみすみす放棄したためだ。現在の米国や中国で進行している事態も、程度の違いはあれ、似たようなものだといえるのではないか。あまり特定の価値観にこだわりすぎるのは考えものだ。

### 「規律」を準備したカルヴィニズムと新ストア主義

2020年の新型コロナウイルス感染症（COVID‐19）の影響は、オンラインによるリモートワークに現れているが、リモートワークで成果を出すためには、なによりも「規律」が必要だといわれる。ここでいう規律とは「自己規律」のことだ。あらためてセルフコントロールの時代となってきたのである。

ここであまり知られていない「新ストア主義」について触れておきたいと思う。カルヴィニズムがもっぱら個人の規律をもたらしたのに対して、新ストア主義は集団全体の規律をもたらすことになったからだ。

「新ストア主義」の実質的な創始者は、16世紀後半に生きた人文学者ユストゥス・リプシウスである。古典文献学者として、タキトゥスの歴史書に描かれた古代ローマ世界、そしてその時代に生きたセネカのストア派哲学に着目し、激動の時代を生き抜くための「実践哲学」を作り上げている。

「新ストア主義」は、ごく乱暴に要約してしまえば、古代のストア派哲学とキリスト教との合体である。その根本思想は、キリスト教徒として神には絶対的に服従するが、「理性」によって「情念」に屈することなく身を保つということにある。自己規律(=セルフコントロール)による、信仰と理性の両立といってもいいだろう。

リプシウスの主著『恒心論』(1584年)は、当時のベストセラーとなっている。ラテン語で書かれた原書は、出版後まもなくオランダ語、フランス語に翻訳され、その後も英語、ドイツ語、スペイン語、イタリア語、ポーランド語に翻訳されて、18世紀まで広く普及していた。バロック時代の基本精神となっていたのである。リプシウスを囲むサークルの重要メンバーの1人が、バロック絵画を代表するルーベンスであった。

『恒心論』の「恒心」は、「不動心」と言い換えてもいい。ストア派哲学の基本概念である。自己規律によって、何ごとにも動じない精神を作り上げることにある。現代風にいえば、「強いメンタル」ということになるだろう。

ただし、古代のストア派哲学との違いは、規律の対象が個人にとどまらず、社会全体に拡張したことにある。バロック時代の基本精神となったこの思想が、「絶対王政」のもとでの常備軍制度や警察制度の確立を推進し、「西欧近代」を促進する原動力となったのである。暴力装置の合法的かつ一元的コントロールが近代の「主権国家」の基本にあるが、その始まりはそこにあったのだ。

## 「郷に入っては郷に従え」
## 宗教とビジネスの分離を主張した哲学者スピノザ

ビジネスパーソンには、ビジネスと価値観を切り離すというビジネスライクなマインドセットも必要だ。とかく特定の価値観に引きずられやすいのが、人間の本質ではあるが、「郷に入っては郷に従え」という格言は、国内であれ国外であれ、異文化に向き合うためには必要不可欠な教えである。

これを文字通り実践したのが、17世紀のオランダ東インド会社の社員たちである。当時の価値観は、端的にいえば宗教的価値観のことだった。貿易活動とカトリック布教とを切り離すことができなかったのがポルトガル商人たちであった。

オランダ東インド会社が、ポルトガル商人たちに代わって、幕府から日本での独占的なビジネスを許されたのは、幕府の意向に沿う形でキリスト教の布教は絶対に行わないことを誓い、それを実行したからである。幕府の「家臣」として振る舞うことを受諾した彼らであったが、日本以外では、それほど従順であったわけではない。17世紀に領有していた台湾では、プロテスタントの布教を行って先住民の教化を行っている。

「黄金時代」のオランダにスピノザという哲学者がいる。言論と思想の自由を主張した、リベラリズムの元祖ともいうべき存在だ。ポルトガル系ユダヤ人で家業の貿易商を継いでいたが、同時代のデカルトの合理主義哲学の影響もあって伝統的なユダヤ教の聖書解釈に疑問を抱くようになり、23歳でユダヤ教会から破門されてしまった。「寛容の精神」にあふれていた当時のオランダだが、マイノリティのコミュニティ内部には「寛容」は存在しなかったのだ。

そんなスピノザの著作に『神学・政治論』（1670年）というものがある。スピノザ流の『旧約聖書』の解釈をもとにした内容だが、そのなかに面白い記述があるので紹介しておこう。

それどころか、キリスト教が禁じられている国に暮らす人は、こうした儀礼を行わないよう義務づけられる。それでも彼らは幸福に生きられるのだ。この例は、日本という王国に見出せる。この国ではキリスト教が禁じられているから、この地に暮らすオランダ人たちは東インド会社の命により、あらゆる外的な礼拝を行わないよう義務づけられていたのである。（＊引用は吉田量彦訳による）

どういうルートかわからないが、スピノザはオランダ東インド会社の日本ビジネスについて、かなり正確な情報をもっていたらしい。オランダは基本的にプロテスタント国であったが、プロテスタントにおいては信仰は外的な儀礼よりも、内面のものが重視された。このため、「内面の自由」が発達したという事情も大きかったのであろう。

現代のビジネスパーソンも、「踏み絵」を踏まされる局面も多々あるだろう。だが、価値観はあくまでも「内面」のものとして、ビジネスライクに振る舞うことも重要だ。

## 「主権国家」成立の時代—ウェストファリア体制確立の西欧　実質的に主権国家となっていた日本

20世紀末から21世紀現在にかけての米国がそうであったような、地球全体にまたがる単独の「覇権国」は、17世紀の段階では存在しなかった。地球全体にまたがる「国際秩序」もまた、存在していなかった。

「第1次グローバリゼーション」を背景に、オランダがいわゆる最初の「ヘゲモニー国家」となったことはすでに見たとおりだ。とはいえ、単独の「覇権国」として世界に君臨していたというわけではない。そのような意味での「覇権国」は、「第2次グローバリゼーション」を主導した大英帝国がはじめての存在である。

17世紀の時点のユーラシア大陸では、それぞれの地域ごとに「覇権国」と「国際秩序」とよぶべきものが存在していた。東アジアは明から清への王朝交替期であったが、中華帝国を中核とした「冊封体制」（＝華夷秩序）が存在した。中東地域ではオスマン帝国を中核としたイスラームにもとづく「カリフ制」が存在した。そして欧州大陸においては、カトリックによる一元的支配がゆらいでおり、17世紀半ばに成立した「ウェストファリア体制」の生成過程にあった。

つまり、複数の覇権国を中核とした国際秩序が地域ごとに成立していた「多極的」な世界であり、世界は一体化していなかったのである。そうしたなかで西欧で誕生したのが「主権国家」(ソブリン・ステート)である。

## 17世紀は「主権国家」の成立の時代

17世紀の西欧で成立した「ウェストファリア体制」は、「領域主権」を基礎とする「主権国家」どうしの水平的で対等な関係を基礎にしたあらたな秩序のことである。「領域主権」とは、自国の権力の及ぶ範囲を領域とし、自国の領域内にかんしては絶対的な主権を主張するものである。当時の主権者は、国王そのものであった。

興味深いことに、同時代の日本も実質的に「主権国家」となっていたのである。17世紀に成立した幕藩体制と西欧の絶対王権は、ともに「一国単位」で軍事・治安・司法・行政において権力を集中したこと、そのもとで全国レベルの「市場経済」を成立させた点が共通している。ただし、土地と労働は市場にまかせなかった点が、「近代資本主義」とは異なる点であった。

だからこそ、19世紀半ばに「開国」を余儀なくされ、明治時代になってから西欧中心の国際社会に参入した際にも、大きな困難をともなうことなく西欧中心主義の「ウェストファリア体制」に適応できたのである。

このことが、おなじ東アジアにありながら、「華夷秩序」という枠組みから抜け出せなかった中国、朝鮮との大きな違いになったことは強調しておくべきだろう。「日清戦争」（1894〜1895年）で日本が清朝に勝利したことで、朝鮮は華夷秩序から切り離され、中国じたいは「辛亥革命」（1911年）で王朝が崩壊したことで、同時に「華夷秩序」も崩壊するに至った。

このように東アジアにおいては、実質的に「主権国家」となっていた日本が、いち早く西欧中心の国際秩序のメンバーとして認められたことで、西欧中心主義を地球レベルで拡大していく先兵となったのである。このことが日本人のアイデンティティの不安定さの原因となっていることは否定できないが、そのことについてはここでは深入りはしないことにする。

ウェストファリア体制が成立するまでの西欧世界は、中世以来のカトリックによる一元的支配が、「宗教改革」によって大きく揺さぶりをかけられ、崩壊しつつある状態だった。ウェストファリア体制について知るためには、その前提として16世紀前半に始まった「宗教改革」による分裂状態について見ておく必要がある。すこし遠回りになるが、「宗教改革」と「宗教戦争」についてやや詳しく、突っこんで見ておくこととしよう。

**「宗教改革」は西欧を政治的にも分裂させた**

「宗教改革」によって生み出されたプロテスタンティズムは、世俗の権力と結びついたことで、既存のカトリック勢力との対抗原理となり、キリスト教の枠内での「宗教戦争」を激化させることになった。特定の宗派が特定の権力と結びついたことが原因の「宗教戦争」は、血みどろの殺し合いとなった。

「宗教戦争」の時代は16世紀前半から17世紀前半まで約1世紀にわたって続くことになるが、この時代背景のもとにアジアでは激しい貿易戦争が繰り広げられたのである。16世紀がポルトガルとスペインというカトリック勢力全盛期であったとすれば、17世紀はあらたに登場したオランダとイングランドというプロテスタント勢力が、それに取って代わっていった時代と捉えることも可能である。この動きは、ユーラシア大陸の東西で同時進行した。

「宗教戦争」はカトリック勢力とプロテスタント勢力の争いであったが、フランスでその頂点に達したのが、「サン・バルテルミの虐殺」（1572年）である。日本では織田信長による「比叡山焼き討ち」の翌年にあたる。日本も西欧も「戦国時代」のさなか、血みどろの宗教戦争が行われていたのである。

宗教や民族がからんでくると、人間はどうしても冷静さを失ってしまい不寛容になりがちである。それだけ人間というものは愚かな存在だ。ただし、日本の場合は信長に代表される世俗勢力と一向宗に代表される宗教勢力の激突であり、西欧のように特定の宗派が特定の世俗権力と結びついて、神の名のもとに殺し合ったのとは性格を異にしている。

**最後の宗教戦争となった「三十年戦争」**

「三十年戦争」は、1618年に始まり1648年まで30年間にわたって続いた。スウェーデン王国やフランス王国といった周辺大国が武力介入したこの戦争によって、神聖ローマ帝国を構成するドイツの大小さまざまの王国や公国は徹底的に破壊されて荒廃し、人口は約半分に激減した。

21世紀の現在でいえば、2001年のアルカイダによる「9・11」から始まった米国によるイラク戦争とアフガニスタン戦争、そしてイラク戦争がきっかけで始まった自称「イスラーム国」によるイラクとシリアの破壊と略奪などの、無差別な殺戮に匹敵するものだといっていい。そんな断続的だが終わりなき戦争状態が、17世紀の前半には、30年にわたってドイツを中心に続いていたのである。

ルターが生きていた時代は、信仰は個人単位ではなく領域単位であった。「アウクスブルクの和議」(1555年)で定められた「信仰属地主義の原則」である。個人の意志にかかわりなく、領主の宗教がその領域の宗教となったわけだ。この「信仰属地主義の原則」は、領域主権によって支えられたものであり、主権国家どうしが自国の領域拡大のため戦争にあけくれる原因となった。

### 「傭兵」による掠奪と殺戮

「三十年戦争」が破壊的なものとなった背景には、中世社会が崩壊して転換期に入ったルネサンス期以降、騎士が没落し、傭兵が存分に活躍する状況が生まれたこともある。「民間軍事会社」の存在が巨大化しつつある21世紀の現在と似た状況にあったといっていいかもしれない。

傭兵が忠誠の対象とするのは、ヒトではなく、あくまでもカネだ。雇用主のカネ払いが悪いと、傭兵はいとも簡単に略奪集団に変貌する。「三十年戦争」では、そんな外国人の傭兵集団が各地で暴れに暴れまくり、略奪につぐ略奪、強姦、さらには殺戮につぐ殺戮をやりまくった。戦争が長引いた原因もそこにある。

この状況は、「三十年戦争」のただ中を生きたドイツ人グリンメルスハウゼンによる長編ピカレスクロマン『阿呆物語』(1668年)に活写されている。主人公は「三十年戦争」の時代を、傭兵などさまざまな職を転々としながら、たくましく生き抜いていく。傭兵たちによる殺戮と略奪のシーンが印象的だ。

同じく同時代のロレーヌ公国に生きたジャック・カロによる銅版画は、日本でも比較的よく知られているかもしれない。『戦争の惨禍』と題されたシリーズで、傭兵たちによる略奪と放火、見せしめの処刑、戦争によって不具となった兵士など、その当時の戦争が記録されている。

『掠奪の法観念史』(山内進)には以下のような記述がある。「ルターは「殺戮し強奪し放火しあらゆる災害を敵に加えること」を「戦争の慣わし」と規定し、その通りに振る舞う

## ジャック・カロによる銅版画「絞首刑」(1633年)の一部を拡大

ことを「愛の行為」と呼んで憚らない。…（中略）…住んでいる世界つまり「人間環境全体」が、そして「法観念」が違うのである」、と。

「愛の行為」というのはキリスト教の概念であるが、現象だけを見たら、同時代の日本の戦国時代となんら変わりはない。『雑兵たちの戦場』（藤木久志）に描かれている戦国時代の雑兵たちと、「三十年戦争」で暴れまくった外国人傭兵たちの行為は、まるでうり二つである。

## 「絶対王政」を体験しなかった米国

米国は、デモが暴動に発展し、そのまま掠奪に発展することが多い暴力社会だが、こうした光景は16世紀から17世紀にかけての日本でも西欧でも普通に見られていた。歴史をさかのぼってみると、中世から近世にかけての西欧世界は、完全に「自力救済型社会」だったのだ。

軍事や警察も含めた武力は国家が完全に掌握できていたわけではない。略奪行為が当たり前のように行われており、一般民衆はむき出しの暴力から自衛する必要に迫られていた。自分の身は自分で守るのが常識であった。

自衛権や武装権は、西欧世界ではその後、公権力によって徐々に奪われていくことになるが、米国では強固に生き残ることになる。これは、西洋中世史の阿部謹也氏がつねづね指摘していたことだ。たとえば、『中世の星の下で』に収録されている「アジールの思想」では次のように述べている。

近代国家はこのような民衆の絆や法慣行を抑圧し、公権を独占することを通して確立された。そのたどりついた姿は、一方で個人の自衛権を否定して武器の携行を禁止し、他方で警察権を強化し、治安の確立を図る「法治国家」である。しかしこの点で興味深いのはアメリカ合衆国の例であって、絶対王政を経過した西欧諸国と違ってアメリカでは今でも市民の武装権を認めている。植民時代の移住者たちが西欧から持ち込んだ法意識は、いまだ血縁者の復讐が絶えていなかった西欧封建社会の慣行に基づくものであって…(後略)…。

欧州では「絶対王政」の時代に、武装権を否定して民間から武器を取り上げ、そのかわりに警察に代表される公権力が一般人の安全を保障する体制を構築していった。一方、英国の植民地から「独立」した米国は、同時代の欧州大陸の「絶対王政」を経験しないまま「近代」に突入したのである。その結果、一般市民の武装権が現在まで強固に生き残ることになった。

米国は、世界初の憲法を制定し19世紀以降の「近代」を切り開いた存在である。だが、同時に「近世」を飛び越えて「中世」にも直結しているのである。中世の「自力救済」の思想は、米国で「純粋培養」されて現在に至っているという言い方も可能だろう。

米国は西欧中世の「自力救済」思想に由来する「銃社会」であるほか、2001年の「9・11」後のブッシュ政権時代に明確になったように「原理主義的なキリスト教」の勢力もきわめて大きい。宗教が衰退して世俗化が進み、銃規制が進んでいる日本やヨーロッパの先進諸国とは、きわめて異質で特殊な存在である。

### 「三十年戦争」終結のイニシアティブを握ったスウェーデン

「三十年戦争」は、長期にわたって断続的に続いた戦争であり、きわめて多数のプレイヤーが参戦し、複雑な展開を示している。そのため、すべての局面にわたって記述することは簡単ではないが、軍事面で戦争の動向に決定的な影響を与えたのは、北欧のプロテスタント国であったスウェーデン王国の存在であり、その国王グスタフ・アドルフであった。

スウェーデン軍は、「ブライテンフェルト会戦」（1631年）で神聖ローマ帝国軍に大勝し、1618年から始まった「三十年戦争」で、プロテスタント側の初勝利をもたらしている。大勝利の背景にあったのは、スウェーデンが取り組んでいた「軍制改革」である。「規律なき傭兵」ではなく、「規律ある正規軍」主体の軍隊が圧倒的な勝利をもたらしたのである。スウェーデンの「軍制改革」はオランダに倣ったものであり、「オランダ軍制改革」の思想的背景は、先に見たように社会的規律を重視した「新ストア主義」にあった。

そしてまた、スウェーデンの軍資金を支えたのは、17世紀のヨーロッパの銅需要の3分の2を満たしていたファールンの銅山であった。スウェーデン製の大砲は、この豊富な銅資源を原材料としていた。

スウェーデン軍は、その後も「リュッツェン会戦」（1632年）で勝利を収めるが、スウェーデン軍を率いてきた国王グスタフ・アドルフは、その会戦で壮絶な戦死を遂げる。王位を継いだのは、当時6歳の長女クリスティナであった。

父王の戦死によって6歳で即位したクリスティナ女王は、最初は宰相の補佐を受けていたが、18歳以降はみずから親政を行うようになる。クリスティナ女王が、哲学者プラトンが説いた「哲人王」を理想とし、「三十年戦争」を終結させた「ウェストファリア条約」締結（1648年）に大きな役割を果たしたことを強調しておく必要があるだろう。

神聖ローマ帝国に対抗する観点から、ルター派のプロテスタント国のスウェーデン王国は、カトリック国のフランス王国と同盟を組むことになる。国家主権を主張するフランスは、カトリック国でありながら国益重視の観点からローマ教皇庁とは距離を置いていた。グスタフ・アドルフによる快進撃によって一時期はウィーンまで迫ったこともある「戦勝国」スウェーデンは、当初は膨大な要求を「敗戦国」側に突きつけていた。

だが、クリスティナ女王は、国内の大反対を押し切って大幅な譲歩を行い、長期化し迷走していた講和条約交渉を締結に導いている。ストア派哲学に支えられた強固な意志によって理想を貫き、キリスト教徒どうしが血で血を洗う「宗教戦争」を終結させることに成功したのである。

「戦勝国」スウェーデンが大幅に譲歩したことで、欧州全土から66カ国が参加した「ウェストファリア条約」の締結が可能となった。その結果、「三十年戦争」は「最後の宗教戦争」となったのである。

「ウェストファリア条約」は、「主権国家」の上位にいかなる宗教的権威も認めず、条約を締結した「主権国家」どうしがお互いの領土を尊重し、他の主権国家には内政干渉を控えることを定めた。ここから、現在にもつながる国際秩序の「ウェストファリア体制」が出発することになる。

**「ウェストファリア条約」の締結（1648年）**

「ウェストファリア条約」は、世界で最初の大規模な国際会議であった。参加者は、「三十年戦争」の当事者だけでなく、ヨーロッパ諸国の大半に及んでいる。神聖ローマ皇帝、ドイツの66の諸侯、フランス、スウェーデン、スペイン、オランダである。ヴェネツィア共和国とローマ教皇は、仲介者としての参加であった。

実質的な交渉が始まったのは1645年であり、利害関係が錯綜していたため交渉の決着まで3年もかかっている。神聖ローマ帝国と戦勝国スウェーデンとの「オスナブリュック講和条約」と、神聖ローマ帝国と戦勝国フランスの「ミュンスター講和条約」の2本立てになっているのは、戦勝国となったスウェーデンとフランスを分離し、ドイツ西部の2都市で、つまり別々の場所で講和会議を行うことで、交渉を有利に進めようというドイツ諸侯の思惑があったためとされている。

「ウェストファリア条約」の意義は、まず第一に「宗教改革」に始まった「宗教戦争」を終わらせたことにある。これは「アウクスブルクの和議」（1555年）が再確認されたことで実現した。いわゆる「信仰属地主義」の再確認であり、プロテスタント国においてはプロテスタントの信仰をもつことが公式に認められたことを意味している。もはや、ローマ教皇庁は干渉できなくなったのである。

そして、「ウェストファリア体制」とよばれる、あらたな西欧型の「国際秩序」が確立することになったことは、歴史上大きな意義をもつ。ウェストファリア体制は、「主権国家」の概念、「主権国家」間の利害調整のルールとしての「国際法」の原則、そして国際秩序維持のための「勢力均衡」が三本柱となっている。「三十年戦争」の最中に発表された国際法の父グロティウスの主張が「国際法の原則」として実現した。

「主権国家」どうしの利害調整が、「国際法」では解決できない場合の戦争回避の手段として導入されたのが「勢力均衡」（バランス・オブ・パワー）である。突出した勢力が出現しないように、同程度の能力をもった国家どうしで互いに牽制させる仕組みだ。具体的には、人口と資源の面から、ヨーロッパ中央部でカトリック圏とプロテスタント圏の均衡を図る形となった。勝者となったスウェーデンとフランス、敗者となった神聖ローマ帝国とローマ教皇庁について見ておこう。

戦勝国となった「北の大国」スウェーデンは、先に見たように大幅な譲歩を行ったものの、北ドイツのポンメルンその他の領土を獲得している。おなじく戦勝国となったフランスは、ドイツからアルザス地方の大部分とその他の領土を獲得した。アルザス地方はその後長きにわたって、フランスとドイツの係争地となった。「八十年戦争」の終結が確認され、オランダの独立が公式に承認されることになった。スイスの独立もこの機会に初めて承認されている。

実質的な敗者となったのは、カトリック勢力の神聖ローマ帝国とローマ教皇庁であった。神聖ローマ帝国はドイツ全土を支配する権力と地位を失い、名目としては存続したが実質的に解体することとなった。中核をなしていたハプスブルク家は、オーストリアとその東方を支配することになった。ドイツの約３００の諸侯は独立した領邦国家となり、それぞれが立法権、課税権、外交権を持つ「主権国家」であると認められた。小規模な領邦国家が乱立したドイツは、その後長きにわたって統一国家を実現することなく、イングランドを中核とした英国やフランスに大幅に遅れをとることになった。ドイツが統一したのは１８７１年のことだ。

ローマ教皇庁は会議の結果にはたいへん不満を抱き、ときのローマ教皇は勅書のなかで、「無効、不公正、不道徳、不正義、非難すべき、堕落した、無意味で馬鹿げたものだ」と宣言している。だが、いくら地団駄を踏もうと、カトリックが西欧を一元的に支配した中世は完全に終止符を打ったのである。カトリックはその後、プロテスタント諸国が先導した「近代」への反対者として存在をアピールすることになる。

ウェストファリア条約交渉に参加していないのはオスマン帝国とロシア帝国、そしてイングランドである。オスマン帝国はヨーロッパに領土をもっていたがキリスト教国ではないこと、ロシア帝国はキリスト教国ではあるがカトリックでもプロテスタントでもない東方正教会であること、イングランドは「ピューリタン革命」の内戦中で混乱していたためである。イングランドは条約交渉には参加していないが、条約の決定事項の適用対象国となった。

### 西欧とほぼ同時期に「宗教戦争」から足を洗った日本

西欧がキリスト教の枠内で世俗権力が争った「宗教戦争」であったのに対し、同時代の日本は世俗権力と宗教勢力との「宗教戦争」であった。

世俗の権力が特定の宗教や宗派と結びついていた西欧では激烈な「宗教戦争」となり、その結果、宗教勢力そのものが衰退していくことになった。一方、同時代の日本では世俗権力が特定の宗教勢力と結びつくことがなかったため、強大化する世俗権力が国家再統一のプロセスで強大な宗教勢力と全面対決し、最終的に宗教勢力を屈服させることで統一事業を完成させることになる。厳密にいえば、日本には「宗教戦争」はなかったことになる。

信長は、比叡山焼き討ちを断行、石山本願寺との死闘で一向一揆を打ち破り一向宗（＝浄土真宗）を屈服させたが、バランシング・パワーとして新登場のキリスト教を優遇して、既存宗教に対する牽制を行っている。秀吉は、逆に旧来の神仏勢力と結びつくことによって権力基盤を強化、これを継承した家康は秀吉をさらに徹底、完全な思想統制に基づく宗教政策により「世俗化」への道筋をつけた。しかも、秀吉はみずからの死後に神となるあらたな宗教観念をつくりだし、この路線は家康が継承することになる。

比叡山焼き討ちから始まった宗教勢力との対決は、家康の死後の家光の時代の１６３８年に「島原の乱」を鎮圧することによって、カトリック勢力を中心としたキリスト教との「宗教戦争」が終結した。西欧では、ウェストファリア条約でカトリック勢力が衰退しただけでなく、宗教そのものの衰退が加速することとなったが、日本では世俗権力による宗教権力のコントロールが実現したことによって、宗教勢力が世俗権力に刃向かうことは以後まったくなくなった。

政治思想史の渡辺浩氏は『日本政治思想史〔十七〜十九世紀〕』で興味深い指摘を行っている。独特のユニークな文体なので、そのまま引用させていただくことにしよう。

1467年に始まった応仁の乱以降、日本列島では、既存の多くの制度が融解し、多次元的な戦争状態（「戦国の世」）が断続的に続いた。戦争の形態は残虐と陰険を極めた（詳述しない）。しかし、この戦争状態、トマス・ホッブズが考えたような（『リヴァイアサン』1651年）人々の相互契約によってではなく、最強者の支配が徐々に事実として確立することによって終焉した。しかも、ホッブズを含む同時代の欧州人が想像もできなかったような国内外の平和（「泰平の世」）が、二世紀以上継続するに至ったのである。何故であろうか。

渡辺氏は、その答えを次のように記している。

徳川家は、この世を超越する者を危険視した以上、逆にこの世を超越する者によって自らの支配を正当化することもなかった。（…中略…）では、どうしたのか。強者が支配するのが当然と思われているなら、ただ強者として支配すればいいのである。それを恥じる必要も、弁明する必要もない。後世の一部の歴史家と違い、「この統治の正統性原理は何なのか」という詮索など、当時の人々はしない。

17世紀末の元禄時代、オランダ東インド会社の出島商館勤務の医師として来日したドイツ人ケンペルは、まるでパラダイスのようだと「鎖国」時代の日本を絶賛している。「三十年戦争」で荒廃したドイツ北部に生まれ育ったケンペルから見たら、誇張でもなんでもなく実感だったのであろう。絶対的な武力のもとで、絶対的な平和が実現していたのだ。

幕府の実践そのものが、ある種の思想のあらわれであったのである。ケンペルが江戸参府で謁見したのは5代将軍綱吉である。綱吉が出した「生類憐れみの令」は悪法だと日本では見なされているが、ケンペルは綱吉のことを理想的な君主として絶賛している。「生類憐れみの令」の背後にあるのは、絶対の強者が保証する「生命の安全」と「平和の確保」という思想である。「島原の乱」の終結から約半世紀で「徳川の平和」（パックス・トクガワーナ）が実現したことになる。

だが、絶対の強者であった徳川氏の支配にゆらぎが生じたとき、幕府に寄せる日本人の信頼があっという間に崩れ去った。米国艦隊の黒船に対して強さを示すことができなかった幕府が瓦解したのは、ある意味で当然のことだったのである。

### 日本も西欧も「鎖国」政策をとっていた

「鎖国」ということばが生まれたのは、19世紀初頭にケンペルの著書の一部を日本語訳した蘭学者・志筑忠雄に由来するものだが、「鎖国」政策によって幕府が実行した実態と、同時代の西欧で実行された「絶対王制」は、じつはきわめて似通ったものであることが一部だが指摘されてきた。

この件にかんしては、すでに1950年代の初頭という比較的早い時期に鋭い指摘を行っている歴史家がいることを紹介しておこう。西洋文明史の村松恒一郎氏である。『文化と経済』所収の「鎖国」（1951年）という論文がそれだ。

哲学者・和辻哲郎の『鎖国—日本の悲劇』（1950年）の書評として書かれたものだ。和辻の「鎖国」論は、第2次世界大戦での敗戦理由を日本人の閉鎖的精神に求めた、ある意味では古典的な「鎖国」論である。以下、和辻とは見解を異にする村松恒一郎氏の「鎖国」から引用しておこう。

日本で鎖国的状況が次第に濃くなる16世紀末～17世紀に於ては、欧州でも、（中略）ほぼ同じような情勢が進行するように見えることは充分注目しなければならない。同じような国家的立場の確立と優越、同じような既成事態の安定に対する要求と、これに応じる保守的傾向、同じような精神の教義化と多少の程度の差こそあれ、同様な自己閉鎖への傾向。しかも欧州ではそれらは、やがて18世紀の啓蒙的人間精神の成立へ至る一つの中間的段階に過ぎなかった。自分は日本の歴史について、何等かの確実な判断を下し得る準備を持たぬ者であるが、以上のような欧州についての認識が、日本の鎖国の意味についても大に暗示的である事を感じないわけにはゆかない。

現代日本を代表する西洋史家も、日本と同時代の西欧も「鎖国」政策をとっていたことを指摘している。樺山紘一氏は『世界史への扉』で、「17世紀は、鎖国の世紀である。ユーラシア大陸のあちこちで鎖国が流行した」と述べている。その趣旨をかいつまんで要約すると次のようなものになる。

東洋では、イデオロギーにもとづく鎖国が実行されたが、その主要なモチーフはキリスト教の排除であり、この点にかんしては日本も中国も朝鮮も変わらなかった。ただし、日本の鎖国は、より広い視野から見て、国際経済体制へのレスポンスである。国際的な銀決済システムに巻き込まれた日本においてインフレが発生し、国民経済の混乱を回避するため管理貿易を実行することになった。

一方、ヨーロッパの絶対王制のもとで採用された重商主義の名で知られる経済政策は、保護主義の色彩を帯びた鎖国策であるとする。通商上は、歴然とした国境が意識されていたことは、イングランドの「航海条例」に端的に表れている。

樺山氏はこう結論づけている。

「洋の東西を問わず、鎖国は17世紀のア・ラ・モード（最新流行）であった。もしかりに、東西のあいだで差があるとすれば、西は18世紀初頭には断念するが、東ははるか19世紀後半まで固執するという違いがある」

日本の問題は、18世紀後半には「鎖国」状態は「祖法」として変えてはいけないものと意識され固定化してしまい、柔軟に身動きがとれなくなってしまったことにある。前例がないと動けないという、官僚的発想にもつながる日本の悪弊だ。正式に国交をもっていたのは朝鮮王国と琉球王国だけであり、しかも外交実務はそれぞれ対馬藩と薩摩藩にまかせていたので、海外情報はオランダ東インド会社や中国商人など複数のルートで入手していたものの、幕府として複雑な国際関係に習熟する機会をもたなかった。

「鎖国」のため外国に人を派遣することができなかった幕府には、幕末の一時期を除いて外国駐在の役人はいなかった。実質的な「主権国家」となっていたとしても、外交経験をもっていなかったことは日本にとって致命的であったといわねばならない。

「主権国家」（ソブリン・ステート）が成立したあとには、主権が国王から国民へとシフトしていき、「国民国家」（ネーション・ステート）という概念が生まれてくる。「主権国家」のなかで「国民国家」になりうる存在がでてきたのである。この件については次項で見ていくことにしよう。

## 『自省録』を愛読していたストイックな女王
## ——スウェーデンのクリスティナ女王

マルクス・アウレリウスの『自省録』の愛読者は多い。そのなかでも著名な人といえば、17世紀スウェーデンの女王クリスティナ、18世紀プロイセンの啓蒙専制君主フリードリヒ大王をあげることができる。

「哲人皇帝」マルクス・アウレリウスを「偉大な手本」として生きたのが、スウェーデンの女王クリスティナだ。といっても、クリスティナ女王について知っている人はあまりいないだろう。

真冬でも暖房のない部屋で寝起きし、朝5時には起床していたようだ。まさにストイックな生活習慣である。現在のようにエアコンの完備していた時代ではない。しかも「マウンダー極小期」のまっただ中の「地球寒冷期」であった。ストイック（stoic）とは、ストア派（Stoa）の形容詞形である。ストア派哲学を実践していたのである。

クリスティナ女王は、23歳のときにフランスの哲学者デカルトをスウェーデンに招致したことで知られている。乗馬服を好んでいた「男装の麗人」としてだけでなく、学問好きとしても知られていた。ラテン語もギリシア語も習得し、若くして諸学問に通じていただけでなく、成人になって親政を始めてからも、哲学の研究を続けていたという。

哲学者で哲学史家でもあったエルンスト・カッシーラーは、つぎのように記している。「クリスティナが特に愛着をおぼえ、尊敬もしていたのはマルクス・アウレリウスであった。この「帝位にあるストア主義者」は、彼女が自分のために、かつ自分から求めたものをすべて体現していた偉大な手本であったからである」。

話をデカルトに戻すが、クリスティナ女王からの文字通り「三顧の礼」による招致を最終的に承諾したデカルトは、１６５０年10月に現地に到着している。レクチャーは翌年1月から始まったが、政務で超多忙な女王は、なんと朝5時からレクチャーするよう依頼したのであった。病弱で朝寝好きのデカルトには過酷な条件であったようで、真冬のストックホルムで風邪をこじらせたデカルトは、翌月には肺炎のため死んでしまった。

哲学的対話を行うクリスティナ女王（いちばん左）とデカルト（いちばん右）

「ウェストファリア条約」（1648年）によって「北の大国」スウェーデン王国の地位を安定させることに成功したものの、20歳のときにすでに退位を決意し7年計画で準備、28歳で王位を従兄弟に譲って退位している。この点にかんしても、きわめて強い意志を貫いたといえよう。

ところが、退位後はスウェーデンを離れ、ルター派のプロテスタントからカトリックに改宗して人びとを驚かせた。その後独身のまま62歳で没するまでの長い余生を、ローマ教皇のいるバチカンで過ごしている。

## 「国民国家」はイングランドで生まれた——「反カトリック」政策で国民意識形成の日英

「国民国家」は、18世紀末の「フランス革命」で生まれてきた概念である。「ナポレオン戦争」をつうじて、まずは欧州大陸で、さらには日本などの欧州以外の地域にも拡散していった。「国民国家」は「民族国家」ともいう。だから、ほんとうは「ネーション・ステート」と表現したほうが正確なのである。

「ネーション・ステート」は、17世紀の西欧で誕生した「ソブリン・ステート」（＝主権国家）の延長線上にある概念である。「国家」（ステート）という枠組みがあって、はじめて「国民」（ネーション）が生まれてくるのだが、「国家」をもたない「民族」（ネーション）には、「国民」は存在しないのである。「ステート」が必ずしも「ネーション」を前提としていないことは、西欧の中世から近世の歴史を振り返ってみればわかる。

フランス絶対王政の太陽王ルイ14世は、「自分が国家である」という名言を残している。この当時の「ステート」においては、「主権」はあくまでも国王にあり、「主権在民」とはほど遠い状況であった。このような状態の「主権国家」は、現在でも世界中にいくらでもある。それほど、「ネーション・ステート」となるのはむずかしい。「ネーション」と「ステート」が合致するようになったのは「フランス革命」以後のこととされる。「ネーション」と「ステート」は、そもそも似て非なる存在なのだ。

だが、じつは英国は、「フランス革命」以前から、イングランドを中核とした「ネーション・ステート」としての性格をすでにつくりあげていた。フランスは、先行する英国を模倣したのであるが、なかなか「ネーション・ステート」にはなりきれなかったのが本当のところだ。「大陸国家」のフランスとは異なり、「島国」という地政学的条件が、それを可能としたと考えられるが、それだけではない。それをこれから説明していくことにしよう。

## イングランドとフランスにだけあった「ロイヤル・タッチ」

「ロイヤル・タッチ」(Royal touch) を知っているだろうか。文字通りの意味は、王様に手で触れてもらうことだ。それもただ単に触れてもらうのではなく、結核性腺病の瘰癧(るいれき)という特定の病気の治療に効くとして、王様に両手を患者の肩に置いてもらうのである。日本でいえば新興宗教で行われる「手かざし」のようなものだろうか。きわめて呪術的な俗信である。

このきわめて呪術的な「ロイヤル・タッチ」がさかんに行われていたのは、16世紀から17世紀にかけての西欧近世のことであり、しかもイングランドとフランスに限定されていた。「王政復古」で即位したイングランドのチャールズ2世は、生涯になんと10万人もの瘰癧患者にロイヤル・タッチを行ったのだという。フランスでは、18世紀末の革命まで続いていた。

フランスの中世史家マルク・ブロックは『王の奇跡』という大著で、この超自然的性格をもつ王権について多面的に論じている。瘰癧が致死性の病気ではなかったこともあり、実際に治癒したかどうかはそれほど大きな問題ではなかったようだが、重要なことは、身分にはいっさい関係なく行われたこと、王の臣下である一般民衆がそう信じていたことである。ある種の治癒行為であったロイヤル・タッチは、王権の正統性を示すことにあっただけではない。国王と一般民衆が直接接触をもつことで、ある種の一体感が生じたのである。おそらく、こういった行為をつうじて、国王を媒介にした「国民意識」が育つ土壌が育っていったのであろう。

西欧で「ネーション・ステート」を発展させたのは、イングランドを起原にして、それを模倣して完成させたフランスであることを考えると、ロイヤル・タッチという前提が存在したことが、その土壌となっていたと考えても不思議ではない。

イングランドはジグザグコースをたどりながらも「反カトリック」国家としてアイデンティティを確立する。フランスはカトリック国ではありながら、国益重視の観点から国家が教会に優先するという「ガリカニスム」という形で、ローマ教皇庁からは距離をとっていた。

イングランドとフランスは、島国と大陸という地政学的ポジションの違いと、ローマ教皇庁に対する温度差が、ネーション成立の時間差となったのであろう。

**「国民国家」の原型はイングランドにあり**

「国民国家」(ネーション・ステート)はフランス革命で生まれたというのが一般的理解であるが、その原型は17世紀のイングランドにあった。「ピューリタン革命」と「名誉革命」という2度の革命をへて「反カトリック」というアイデンティティを明確にしたのがイングランドである。

思想家の関曠野氏は『民族とは何か』で、イングランドはなにをモデルにしたのかと問い、その答えは、『旧約聖書』の「神の選民」という意識をもっていた「古代ヘブル人」としている。ヘブル人とは、のちにユダヤ民族となった人たちのことだ。イングランドには、あらたな「神の国イスラエル」であるという観念が生まれ、ローマ教皇という「邪悪なバビロン」に対する「イスラエル」の抗争にみずからをなぞらえたのである。

祖先と出自をともにする集団であったヘブル人は、エジプトのファラオによって民族ぐるみで奴隷にされ、モーセが率いた「出エジプト」をつうじて神のもとでは平等の民であることを確認し、「約束の地」という「国土」を目指して帰還運動を実行する。この『旧約聖書』の物語が、そのまま17世紀の英国において「民族」と「国土」という意識を生み出すことになったのである。ちなみに、「ピルグリム・ファーザーズ」という北米植民地に移住していったピューリタンたちは、イングランドからの脱出を「出エジプト」になぞらえていた。

イングランドはクロムウェル時代の１６５７年、３５０年ぶりにユダヤ人の再入国を認めている。ライバル視していたプロテスタント国オランダの繁栄に、ユダヤ人の貢献があることを認識していたからだ。だが、それは経済的な観点からだけではなかった。先に見たように、みずからを「神の国イスラエル」になぞらえるという観念がイングランドに生まれていたからでもあった。

### カトリック排除によって「主権国家」への道をつけたイングランド

イングランドにおける「反カトリック」は、ジェームズ1世による『欽定訳聖書』が誕生する前から始まっていた。聖書の英語訳が生まれる前から始まっていたのである。ヘンリー8世によるカトリックからの「離脱」である。イングランドの「宗教改革」は、そこから始まった。

だが、その動機はけっして宗教的なものではなかった。離婚を禁止するカトリックから1533年に破門されたことがきっかけになったに過ぎないのだが、この結果、1534年に「首長法」を制定し、国王をイギリスの教会の唯一最高の首長とする「イングランド国教会」（＝アングリカン・チャーチ）をつくって、国王みずからが国教会の首長となった。王権の上に権威をつくらない体制を築いたのである。イングランド国内の修道院財産を没収する口実にもなった。

とはいえ、これ以降イングランドで「反カトリック」が定着したわけではない。イングランドが「反カトリック」という形でアイデンティティを確立するまではジグザグコースを歩んでいる。その間には2度の「革命」があり、内戦というべき最初の革命では国王が処刑されている。

ヘンリー8世の娘の女王メアリー1世は、カトリック国スペインのフェリペ2世と結婚したカトリックであり、イングランド国内のプロテスタントを激しく弾圧している。カクテルで有名な「ブラディ・メアリー」はここから来ている。ところが、その妹のエリザベス1世は、父親ヘンリー8世の路線を継承して「反カトリック」の姿勢を打ち出した。メアリー女王の死後、再婚相手を探していたフェリペ2世からの求婚を拒絶している。

イングランドの「国民意識」を大いに高めたのが、エリザベス1世時代の「アルマダの海戦」（1588年）の勝利であった。経済力でも軍事力でも圧倒的な格差があったにもかかわらず、悪天候にも助けられて「スペイン無敵艦隊」を退けることができたのだが、当時のイングランドでは「神風」が吹いたからだとされていた。戦勝記念で発行されたコインに刻印されたラテン語は、英訳するとこうなる。“Jehovah blew with His winds, and they were scattered.”（＝エホバが風を吹き、彼らはちりぢりになった）。これをさして「プロテスタント・ウィンド」（Protestant Wind）とよぶこともあるが、「神風」が吹いたのは元寇（＝蒙古襲来）を退けた13世紀の日本だけではない。

さらに「反カトリック」が燃え上がったのが、ロンドンの「火薬陰謀事件」（１６０５年）である。カトリック勢力によるイングランド政府転覆未遂事件のことだが、国会議事堂の爆破計画が未遂に終わっている。火付け役として現場で逮捕され、その後処刑されたのがガイ・フォークスであった。事件の黒幕にはイエズス会がいたとされ、悪の手先の陰謀集団というイメージがイングランドで定着することになる。

１６０６年11月5日、火薬陰謀事件が未遂に終わったことを神に感謝する記念日法案が議会で可決し、この日に夜通しかがり火をたく「ガイ・フォークスの火祭り」が年中行事化した。ところが21世紀になってからは、ガイ・フォークスはハッカー集団「アノニマス」の仮面で有名になっており、宗教と関係なく反抗のシンボルとなっているのは興味深い。

**「ピューリタン革命」とよばれる内戦状態**

イングランドの「宗教改革」は、もともと宗教的動機というよりも政治的動機で始まったものであることは先にみたとおりだが、カトリックとは縁を切ったものの、宗教儀式などにかんしてはカトリックと大差ないものであり、ある意味では生ぬるいものであった。

こうした国教会のあり方に反発するものが出てきたのは不思議ではない。聖書の英語訳が、そうした状況に火をつけたのも当然だろう。そのなかでも急先鋒ともいうべき存在が改革派や長老派とよばれていたカルヴァン派である。彼らは、大陸のスイスやオランダから亡命してきたユグノーの末裔も含めて、密接なコミュニケーションをもつ「インターナショナル・カルヴィニスト」というべき国際派であった。

イングランドでは、彼らは「ピューリタン」（＝清教徒）とよばれた。彼らが主導したイングランド内戦が「ピューリタン革命」とよばれるのはそのためだ。最終的に、クロムウェル率いる議会軍が国王軍を打ち破り、絶対王制を進める国王チャールズ1世が処刑されるという事態に終わったため、「フランス革命」や「ロシア革命」のイメージと重なるものがあることは否定できない。「ピューリタン革命」というと、宗教が全面にでたイメージがあるが、実質的には国王に対する議会、都市に対する地方という構図が浮かび上がる。クロムウェル自身も地方のケンブリッジの代表であった。

イングランド内戦をめぐる状況はあまりにも錯綜しているし、立場によって解釈も大きく異なってくる。同時代の政治思想家のホッブズは『ビヒモス』（1681年）で詳細に語っているが、それでもバイアスが存在するだけでなく、筋を追うこと自体が大変だ。幸いなことに映画『クロムウェル』(英国、1970年)は、要領よく史実を要約して映像化してくれているのでお薦めしたい。CGが使用される以前の作品であり、戦闘シーンや国王処刑シーンなども過度な映像効果を狙っていないので、かえってリアリティを感じさせるものがある。

余談だが、英国陸軍が海軍や空軍と違って、王立(ロイヤル)がつかない「ブリティッシュ・アーミー」であるのは、議会軍を率いたクロムウェルが、国王軍を打ち破り国王チャールズ1世を処刑したためとされる。

話を戻すが、クロムウェルは、あくまでもイングランド・ファーストの政策を実行した。各種の特権や産業統制を廃止して商工業の発展に尽力しているが、いかんせん経済的に繁栄するオランダを超えることはできなかった。オランダへの対抗策として打ち出した「航海条例」は、保護主義政策そのものである。スペインからカリブ海のジャマイカを奪い取ったのもクロムウェルの時代である。

筋金入りの「反カトリック」だったクロムウェルは、ことさらアイルランドに憎しみをもって厳しくあたっている。議会軍を率いてアイルランドを再占領、カトリックの土地を没収し民衆の虐殺も行っている。アイルランドの人口の4分の1が、殺されるか亡命するかして減少したという。実質的に植民地化されたアイルランドの反イングランド感情はその後も根強く残り、１９２２年に独立後も、１９４９年には「英連邦」から離脱して現在に至っている。

クロムウェルは国王になることは断固として拒否したが、護国卿（ロード・プロテクター）として国家の代表になることには同意している。その死後、息子が継いだがその器ではなく、政治的混乱のなか「王政復古」が実現することになった。以後、現在に至るまでイングランドで共和制が復活したことはない。

**「名誉革命」後に「国教会」による「国民国家」へ**

ヨーロッパのロイヤル・ファミリーどうしは、国家を超えてヨーロッパ全域で婚姻関係をつうじて密接な関係にある。これは当然のことながら、過去についても同様であった。大陸各地で亡命生活を送り、「王政復古」後も大陸のカトリック勢力フランスに限りなく親近感を抱いていた国王ジェームズ2世の存在で、国教会のイングランドの政治情勢は揺れに揺れることになる。最終的に決着したのが「名誉革命」だ。

「名誉革命」と日本でよぶこの「革命」は、無血で終わったのでそうよばれるのだが、「栄光ある革命」（Glorious Revolution）という表現は、あくまでもこの「革命」を遂行し成功した側のものであることに注意したい。それは、端的にいって議会の立場からの表現である。

「名誉革命」については、すでにオランダの立場からの説明を行っているが、この革命の成功によって「イングランド国教会」の「国教化」が確定し、「反カトリック」のイングランド国制が完成した。国教会の信徒でなければ、19世紀のはじめまで役人になることができなくなったのである。また、英国の不文憲法の根本法となる「権利の章典」（1689年）により国王の権限が制限され、議会政治の基礎が築かれることになった。

さらに議会は「王位継承法」（1701年）を成立させ、子どものいなかったウィリアム3世の王位継承に議会が関与することを法制化している。この法律で、国教会の信徒のみが王位継承権をもつとされ、王位継承者からカトリックは排除された。また同様に、王位継承者の配偶者も国教会の信徒でなければならないとされた。「王位継承法」はようやく3世紀後の2013年に改正され、カトリック教徒との結婚による王位継承資格の喪失は廃止されることになった。もはや、現代には意味をなさないからであろう。

ジョン・ロックは「名誉革命」の理論的支柱となった哲学者であるが、その『寛容についての手紙』（1689年）に注目すべきであろう。「寛容」を説いたロックだが、カトリックと無神論は「寛容」の対象からはずしており、一貫して「反カトリック」を貫いているのである。この点は、幕府の「キリシタン禁教」政策にも通じる面があるといえるのではないだろうか。

## 幕府の「キリシタン禁教」と「反カトリック」政策に共通する手法

ここまでイングランドについて見てきたが、同時代の日本についても見ておこう。幕府が断行した「キリシタン禁教」政策は「鎖国」政策の一環であったが、かならずしも宗教的な理由だけがその動機ではなかった。むしろ政治的な動機のほうが強かったと思われるふしがある。

キリスト教が伝来した1549年から「キリシタン禁教」の最終段階に入った1641年までの1世紀を「キリシタンの世紀」とよぶことがある。ただし重要なことは、日本で宣教されたのは、あくまでもカトリックだったということだ。

「デマルカシオン」（＝地球分割）によって日本がポルトガルのテリトリーとされたため、日本宣教はポルトガル王国のバックアップを受けたイエズス会が担うことになった。ポルトガルがスペインに併合されてから、スペイン系のフランシスコ会やドミニコ会も日本宣教に乗り出すが、いずれもカトリックの修道会である。つまり「キリシタン」はキリスト教一般を指すこともあるが、より正確にいえばカトリックのことを指していたのである。

　カトリックによる日本宣教は、カトリック、ことにイエズス会にとっては最初でかつ最大の成功であり、しかも最大の悲劇的結末を迎えたとされている。信徒数は１６００年がピークでイエズス会だけで約30万人、他宗派を含めても約50万人程度とされている。ところが『キリシタンの世紀』（高瀬弘一郎）で指摘されているように、殉教者はせいぜい数百人程度であって、大多数の信徒は棄教して仏教への改宗の道を選んでいるのである。

　たしかに秀吉の命による「二十六聖人殉教」など悲劇的な事件はあったが、いとも簡単に人が殺されていた戦国時代末期の話であり、特別にキリシタンだけが殺されていたわけではない。「島原の乱」後の１６５２年に、オランダ東インド会社社員として来日したスウェーデン人ヴィルマンが記しているように、大坂近郊で「１５０人ほどが磔（はりつけ）刑になって、首50が鉄棒に突き刺されている現場を通過した」ような時代であった。古代ローマの皇帝ネロの時代に最高潮を迎えた、初期キリスト教時代の「殉教」に匹敵するというのは、事実からは遠いと言わねばならない。

とはいえ、幕府が徹底的に「キリシタン禁制」という不寛容な政策を断行した理由はなぜだろうか。日本中世史の神田千里氏は『宗教で読む戦国時代』で、当時の日本で主流となっていた「天道思想」（＝お天道様が見ているという宗教思想であり倫理思想でもある）が日本の「見えない国教」となっており、排他的なキリスト教が拒絶されたという側面を指摘している。

カトリック勢力の脅威にかんしては、プロテスタント側のオランダやイングランドの人間が吹き込んでいたこともあるが、幕府自身も国防の観点からカトリック勢力の背後にいるローマ教皇の存在を意識していたのであった。宗教勢力の反乱がいかに手強いものであるか、「島原の乱」で「一向一揆」の恐怖が蘇ったはずだ。実際のところ「立ち返りキリシタン」が中心となり、キリシタン浪人が指導した「島原の乱」の背後に、ポルトガルなどカトリック勢力がいるとみていた幕府は、あえてオランダ東インド会社に命じて、会社所有の艦船に島原城を砲撃させている。

一向宗（＝浄土真宗）は国内勢力なので手なずけることに成功したが、遠く離れたローマは日本からコントロール不能であり、世俗の権力の上に立つ権威や権力を認めることは絶対にできなかった。この事情は、「反カトリック」の立場をとった西欧のプロテスタント勢力と基本的に同じである。武家政権である幕府としては、カトリック勢力を徹底的に鎮圧しなければならない事情があったのである。

## 17世紀以降の日本はプロテスタント国との関係を重視してきた

日本は、敵とみなしていたカトリック国を牽制するため、プロテスタント国のオランダとイングランドに肩入れしたのである。実利重視で、布教を目的としない姿勢を大いに評価したわけだ。だから、彼らがキリスト教徒であることを知りながら、対日ビジネスを認めていたのである。

したがって、日本は「非キリスト教国」であるのにもかかわらず、同時代の西欧における「宗教戦争」におけるプロテスタント側についたことになる。

このように見てくると、幕府の「キリシタン禁教」政策とイングランドの「反カトリック」政策にも共通する要素があることが見てくるはずだ。それは、外部に「悪しき敵」をつくりだして内部の求心力を高める古典的ともいえる手法であることだ。実体以上に邪悪さを強調し、一般民衆の想像力を喚起しようとしたのだと、考えるべきではないか。この政策の副産物というべきものが、日本人のアイデンティティが確立したことだろう。キリシタン以外は日本人という定義である。いいかえれば、「日本人とはキリシタンではない」という否定形による定義である。

ただし、幕府はキリシタン以外も弾圧していたことにも触れておく必要がある。幕府レベルで禁止し弾圧したのは「キリシタン」と日蓮宗の「不受不施派」である。藩レベルでは、南九州の薩摩藩や人吉藩では江戸時代に入ってからも一向宗（＝浄土真宗）が徹底弾圧されていたため、「隠れ念仏」が生まれている。

宗教を弾圧していたのは日本だけではない。朝鮮もまたキリスト教を排除していたし、高麗に代わって李朝が14世紀末に朝鮮の支配者となってから、高麗時代に栄えた仏教を徹底弾圧している。この結果、朝鮮仏教は山地に追いやられ、現在は都市部はキリスト教の教会ばかりである。宗教暴動が王朝転覆につながってきた歴史をもつ中国では、宗教勢力がパワーをもつことにきわめて敏感であることは、現在の中国を見るうえで重要な視点でもある。

以上見てきたように、「鎖国」時代の日本が限りなく「ネーション・ステート」（国民国家あるいは民族国家）に近い状態に成長していったのも、不思議ではない。中国は現在「ナショナリズム」を推進し「ネーション・ステート」になろうとしているが、漢民族中心主義がさまざまな軋轢を生んでいる状況を見れば、「ネーション・ステート」というものが、いかに困難な課題であるか理解できるはずだ。

## プロテスタントはコーヒー、カトリックはチョコレート

食文化にかんしては、日本が最初に関係をもったのがカトリック国のポルトガルで、プロテスタント国のオランダが後になったのは、幸いだったというべきだろう。というのも、ポルトガル起源のものは天ぷらやカステラなど少なくないが、オランダ料理が起源のものはあまり耳にしないからだ。

ヨーロッパ中世史の木村尚三郎氏は、『近代の神話』のなかで、プロテスタントは不幸な人たちだと書いている。なぜなら、生活を重視し、食事に時間をかけるイタリアやスペインといったカトリック諸国に対して、食事はシンプルで時間節約的な傾向が強いからだ。工業国となった英国も米国も、いずれも基本的に食事はうまくない。この点にかんしては、日本もまた同様だろう。現在では日本人の舌も肥えてグルメ大国になっているが、コンビニ弁当でさっさと昼めしを済ませてしまうのが現代日本人の特徴である。江戸時代の「一汁一菜」の日本人と、基本的に変化していないような印象もある。

美術キュレーターの林綾野氏は、美術作品に登場する料理を実際につくってみるという面白い試みをしているが、『フェルメールの食卓—暮らしとレシピ』で再現された料理のカラー写真を見ていると、いずれもシンプルであり質素なものばかりであることに気がつく。1667年にオランダで出版された『賢い料理人』というレシピ本から再現したものだが、そのほとんどが現代の軽食のようなものばかりだ。

ただし、飲み物にかんしては、プロテスタントのチョイスはかならずしも悪くはない。『楽園・味覚・理性—嗜好品の歴史』（ヴォルフガング・シヴェルブシュ）によれば、コーヒーはお茶やチョコレート、タバコなどと同様、17世紀半ばにヨーロッパに入ってきた嗜好品の1つだが、プロテスタントの人びとは覚醒作用のあるコーヒーを大いに推奨したらしい。アルコールが堕落をもたらすのに対して、コーヒーは市民的理性と能率に目覚めさせるのだ、と。

18世紀ドイツの作曲家バッハは、バロック音楽を代表する存在だが、「コーヒー・カンタータ」（BWV211「おしゃべりはやめて、お静かに」）という作品があるように、ルター派のプロテスタントであった。

これに対して、同時期にヨーロッパに入ってきた甘いチョコレートのほうは、カトリックの人びとに愛好されたらしい。カトリック国ハプスブルク帝国のザルツブルクに生まれ、18世紀後半に生きた天才モーツァルトには、なんとなくチョコレートが合うような気がする。ただし、モーツァルトにはフリーメーソンの影響が大きい。

コーヒーとチョコレート、プロテスタントとカトリックの対比を嗜好品で比較すると、気質の違いがわかって面白い。余談だが、今回の執筆中、ＢＧＭとしてYoutubeでバッハとモーツァルトをかけながら作業をしていたのだが、ともに生産性向上に効果があることを強く実感した。音楽の効果には、プロテスタントもカトリックも関係ないということだろう。むしろ、バッハとモーツァルトとの音楽的な個性の違いこそ強調すべきであろう。

## 「棲み分け」が固定化した17世紀後半から18世紀にかけての東アジア

「第1次グローバリゼーション」によるカオスともいうべき混沌状態が終息し、あらたな秩序形成へと向かいだしたのが17世紀半ばのことである。シルバー（銀）がもたらしたグローバリゼーションは、まさに狂瀾怒濤ともいうべき事態であった。その狂乱が終息に向かい始めた原因は、ほぼ同時に進行していた「異常気象」としての「地球寒冷化」であった。

「グローバリゼーション」は未来永劫に続くものではない。経済を主導力とした運動である以上、いったん始まったものはかならず終わる。17世紀半ばには鉱山技術の限界によって、日本銀の産出量が目に見えて減ってくる。『金・銀・銅の日本史』（村上隆）によれば、坑内の水処理問題が技術的ボトルネックとなったようだ。同時に「新大陸」の銀も産出量が減っていく。経済成長にとって必要なシルバーという燃料が減少し減速してきた状況で、「地球寒冷化」によって強制終了がかけられたというのが実態だろう。

前章まで見てきたヨーロッパは、17世紀半ばには、すでに植民地化した中南米とカリブ海を「裏庭」として収奪することで生き残りをかけることになる。いわば「拡張されたヨーロッパ」というべき状態が形成されたわけだ。この状態を土台にして、18世紀の終わりから19世紀のはじめにかけての「産業革命」の時代に「第2次グローバリゼーション」が開始されることになり、19世紀のはじめから安定化し固定化した東アジア情勢を揺さぶることになる。「絶対主義」による「重商主義」の経済体制に矛盾と限界が生じ、その状況を打破するために始まったのが、「第2次グローバリゼーション」である。

では、最後に東アジア情勢がいかに安定化し、固定化していったか、そしてそれによって平和な状態がもたらされたかについて考えてみよう。

## 財政危機に見舞われた明朝

すでに第2章で見たように、16世紀の「朝鮮の役」で戦場となったのは朝鮮半島であったが、その本質は日本軍と明軍の激突であった。日明両軍によって蹂躙され、国土が荒廃した朝鮮は不幸としかいいようがないが、当事者となった朝鮮だけでなく、明朝には大きな財政負担としてのしかかることになった。

当時の明朝は、「朝鮮の役」を含めて同時進行的な「万暦の三征」で、北方から南方まで反乱鎮圧にあけくれており、その軍費負担で多大な財政負担を強いられていた。「朝鮮の役」で、国庫がほぼ底をついたといわれている。財政不足は増税で補うしかなかったが、この状態で「地球寒冷化」による凶作で飢餓状況が拡大したことが全土で農民反乱を多発させ、さらに北方の脅威となっていた女真族（＝満洲族）の南下を招くことになった。「北虜南倭」のうち、朝鮮半島がらみの「南倭」は終息したが、「北虜」の脅威は増す一方だったのである。

明朝が末期状態となっていたなか、日本では１６０３年に江戸幕府が成立し、国内開発に重点を移すことになった。日本が「鎖国」体制を確立した１６４１年の３年後には明朝が滅亡し、女真族による王朝交替が実現することになった。いわゆる「明清交替」である。「明清交替」後、鄭成功一族など「明の遺臣」による「反清活動」は、約40年後の１６８０年代で終了して台湾問題が解決、「遷界令解除」（１６８４年）によって東シナ海の海域は安定化に向かうことになる。清朝は以後、国内開発に専念し、18世紀末までに人口が倍増することになる。

こうして日中を比較して見ていくと、日本と中国のあいだにほぼ40年のズレがあることに気づくだろう。江戸幕府の成立（1603年）と明清交替（1644年）、日本の「鎖国」完成（1641年）と中国の「遷界令解除」（1684年）である。このズレは19世紀にもそのまま持ち込まれることになった。幕府が倒れた「明治維新」（1868年）から43年後の「辛亥革命」（1911〜1912年）で清朝が倒れ、約40年間の国内動乱の末に、中国共産党が天下をとって1949年に中華人民共和国を建国し、現在に至っている。

では、東アジア情勢の終息について、具体的に見ていくことにしよう。日本の「鎖国」についてはすでに見てきたので、ここでは朝鮮半島と中国大陸とその周辺海域について見ていくことにしよう。

## 「前門の虎　後門の狼」状態だった朝鮮

「朝鮮の役」においては、とくに理不尽としかいいようがない「第2次侵攻」（1597〜1598年）で朝鮮南部が被った被害はきわめて大きかった。掠奪と殺戮が行われたが、掠奪の対象はモノだけでなく、ヒトにも及んでいたからだ。

だが、問題を引き起こしたのは日本軍だけではない。大義なき戦争に厭戦気分の高まっていた日本軍が秀吉の死によって撤退に踏み切ったあとも、明軍がしばらく朝鮮南部に居座りつづけたからである。日本軍による「第3次侵攻」の可能性を捨てきれなかったからだ。朝鮮を守るためではなく、自国の安全確保のために明軍は進駐をつづけていたのである。財政面を含めて朝鮮にとっては大きな負担となっていた明軍が完全撤退したのは、「第2次侵攻」が終結してから2年後の1600年のことである。

このおなじ年には日本では「関ヶ原の戦い」があり、3年後の1603年に征夷大将軍となった家康は江戸幕府を開くことになる。外国貿易を維持発展させながら国内開発も行いたかった家康は、明朝との貿易を熱望していた。このため仲介役として明朝の朝貢国であった朝鮮に期待して、朝鮮との国交回復を実現することにしたのである。朝鮮からみれば「倭寇」以外のなにものでもなかった日本だが、明朝の財政破綻状況を知っていた朝鮮は、1609年に日本との国交回復に踏み切った。だが、家康が望んでいた明との公式貿易再開は、明朝の対日不信が根強く、結局実現することはなかった。将軍の代替わりごとに来日する「朝鮮通信使」が制度化されることになる。

朝鮮が日本との国交回復に踏み切ったのは、背後から女真族の脅威が迫っていたからでもある。朝鮮半島とは地続きの満洲から、女真族が朝貢を要求するようになってきたのだ。交渉上手な家康は「第3次侵攻」の可能性もちらつかせており、半島国家の朝鮮はふたたび挟み撃ちになりかねない状態だった。これでは、さすがにいつまでも日本敵視をつづけるわけにはいかないだろう。まさにこの時代の朝鮮は「前門の虎　後門の狼」状態だったといえる。前者の虎が女真族であったとすれば、後者の狼は日本であった。当時の朝鮮には野性の虎がいた。当時の日本には野性の狼はいたが、野性の虎はいなかった。

明軍への忠義立てがあだとなって、女真族の要求を拒否した朝鮮は、2度にわたって女真族による侵略を被っている。いずれも朝鮮側の呼び方だが、「丁卯胡乱（ていぼうこらん）」（1627年）と「丙子の乱（へいしのらん）」（1636～37年）だ。後者において朝鮮国王は「三跪九叩頭の礼（さんききゅうこうとうのれい）」を要求される屈辱を受けている。満洲の瀋陽から漢城（現在のソウル）まで、わずか1週間で南下してきた女真軍は、いとも簡単に朝鮮を屈服させたのであった。朝鮮半島の西側は平坦な地形なので、外敵をまったく防ぐことができない。東洋政治思想史の古田博司氏の表現を借りれば、まさに地政学的にみて「行き止まりの廊下」なのである。

このときの朝鮮国王の屈辱が、「明清交替」（1644年）後に、いわゆる「小中華主義」を生み出すことになる。明朝という「中華」は滅亡したが、ほんとうの「中華」は朝鮮にこそあるという発想だ。朝鮮は清朝成立後も朝貢国であり続けたが、「鎖国」体制のもと自己中心主義をこの時代に育てあげることになった。だが、属国であるとはいえ独立国としての地位を守ることができたおかげで、中国国内の内モンゴルのモンゴル人のような運命を被らずに済んだことは、不幸中の幸いであったというべきではないだろうか。

### 台湾がはじめて歴史に登場した17世紀──オランダの植民地時代

台湾は「フォルモサ」と呼ばれることがある。鉄砲伝来（１５４３年）の頃だが、はじめて台湾島を目にしたポルトガル人の船員が「イラ・フォルモーサ！」（美しい島だ！）と叫んだことに由来するのだという。だから台湾の別称は「美麗島」でもある。

もともとマレー・ポリネシア系の先住民が暮らしていたが、台湾に最初に足を踏み入れた外国人はオランダ人である。１６０２年にオランダ東インド会社を設立して、中国貿易と日本貿易の中継地を探していたが、１６０３年にはオランダ艦隊が台湾島の西に位置する澎湖諸島の澎湖島に上陸した。だが、明朝の軍隊に追い払われている。澎湖諸島までは中国領という認識があったからだ。

中国貿易の拠点を確保したかったオランダは無謀な策にでる。１５５７年に確保して以来、日本との貿易で巨利をあげていたポルトガルの拠点マカオを武力で奪取しようとしたのだ。１６２２年のことである。だが、３日にわたる戦いでポルトガルはオランダを撃退、マカオ奪取を断念したオランダはふたたび澎湖島に上陸して占領に成功、さらに台湾海峡の制覇を試みた。明朝はオランダとの攻防戦の末、オランダ艦隊の澎湖諸島からの退去を条件に台湾島の領有を認めることにした。以後、オランダは38年間にわたって台湾を統治することになった。

オランダは南部の台南を拠点にしてゼーランディア城とプロヴィンシア城を建設、植民地建設を開始した。明朝とは違って、オランダは台湾島のポテンシャルに注目していたからだ。オランダは台湾を拠点とした中継貿易で巨利をあげることに成功しただけでなく、農業開発にも力を注いで、とくに砂糖産業の育成に成功し、以後３００年間にわたって台湾の主要な輸出産業となった。

すでに見たように、16世紀の終盤に「中国制覇」という無謀な計画をしていたのが、フィリピンを植民地化してマニラに拠点を置いていたスペインの勢力だが、本国で国王フェリペ2世が却下したことで実現することなく終わっている。だが、17世紀には台湾南部を中心に拠点化していたオランダに対抗するため、スペインは１６２６年に台湾北部を占領した。17年間にわたって占領を続けたが統治には失敗し撤退、オランダが台湾島全土を支配することになる。

1641年に商館を平戸から出島に移されて以降のオランダ東インド会社は、日本ではおとなしく振る舞っていたが、それはあくまでも例外と考えるべきである。そもそもオランダは貿易だけでなく、ポルトガル船やスペイン船に対する海賊行為で掠奪を行っていることも幕府は承知していた。日本近海でさえなければ不干渉という姿勢を貫いていたに過ぎない。

日本ではキリスト教の布教を行わないという条件で貿易を許されていたわけだが、植民地化した台湾では武力で先住民の反乱を抑え込むとともに、プロテスタントの宣教師によってキリスト教の布教による住民教化を行っている。

また、台湾を日中の「出会貿易」の拠点としていた日本人商人の浜田弥兵衛とのコンフリクトが発生、オランダは幕府から日本貿易差し止め処分を受けている。いわゆる「タイオワン事件」(1628年)である。最終的にオランダ側が幕府に恭順の意を示したことで問題は円満解決し、以後オランダ東インド会社は幕府の「家臣」として忠節を尽くす形で力関係が固定化した。ドル箱となっていた日本貿易から撤退するわけにはいかなかったのだ。幕末まで続いた幕府とオランダとの関係も、最初からすんなりと進行したわけではないのである。

タイオワン事件が解決する前のことであるが、浜田弥兵衛は台湾の先住民10人を連れて江戸に赴き、３代将軍家光から謁見をたまわっている。先住民たちが台湾島全島を献上すると申し出たが、家光の受け入れるところとはならなかった。家光は、国際的なトラブルに巻き込まれることを極力回避したかったのである。「島原の乱」の終結後には「鎖国」体制が完成し、日本商人の台湾渡航も禁止されることになる。

**「明の遺臣」たちが台湾を拠点に活動**

１６４４年には漢民族王朝の明朝が滅亡し、女真族の清朝に交替する大動乱が中国大陸で進行していた。「明清交替」である。

「反清復明」をスローガンに掲げた「明の遺臣」たちのなかで、海上勢力であった鄭成功(ていせいこう)は中国各地を転戦したがことごとく失敗してしまった。なんども「日本乞師(にほんきっし)」を送って日本に軍事支援を求めたものの、内政不干渉を貫く幕府からの支援を受けることにも失敗する。ついには台湾島を拠点に反清活動を続けることを決意、１６６２年にオランダとの激しい攻防戦の末、オランダを屈服させることに成功した。オランダ支配の38年間はここに終わったのである。

鄭成功の行動は、20世紀半ばに中国共産党に敗れて中国大陸から撤退し、日本敗戦後の台湾に拠点を移して「大陸反攻」を夢見た蔣介石のさきがけともいうべきものであった。だがもはや現在、「大陸反攻」などという幻想をもつ人はない。中華民国（＝台湾）はすでに民主主義社会であり、大陸の中国人民共和国とは実質的に別個の存在となっている。21世紀の現実は、17世紀とは異なるものと化しているのである。

母親が日本人であった鄭成功は、その死後のことであるが、近松門左衛門の人形浄瑠璃『国姓爺合戦（こくせんやかっせん）』のモデルとなった人物だ。この演目は、1715年初演から17ヶ月連続のロングラン公演となり、爆発的ヒット作となったことで知られている。

「日本乞師」として何度も来日した明の遺臣である儒者・朱舜水は、軍資金つくりのため何度もベトナムにも渡航していた貿易商人だが、最終的に日本亡命を決意し、徳川光圀の知遇を得て水戸に落ち着くことになる。光圀が開始した『大日本史』編纂事業のアドバイザーとなったことで、後世に多大な影響を与えている。

## 中国沿岸で強制移住政策が実行

鄭成功とその子孫による反清活動対策として、清朝3代皇帝・順治帝の時代の1661

年に「遷界令（せんかいれい）」が実行に移されることになった。鄭成功は、台湾移住後の1662年に亡くなっており、その子孫が台湾で反清活動を続けていた。

「遷界令」とは、東シナ海と南シナ海に面した中国沿岸での海上貿易を禁止し、住民を強制移住させた政策のことだ。鄭成功一派は、中国東南沿海の福建省と台湾を拠点に一大反清勢力を形成して、台湾を拠点にした福建省と長崎の仲介貿易によって軍資金をつくっていた。この資金源を断って経済活動の弱体化を図り、鄭一派を締め上げる作戦であった。

「遷界令」が適用された地域は、福建省と広東省を中心に、江蘇省、浙江省の東南4省と山東省にわたる、きわめて広域に及んでいた。具体的には、海岸からなんと約25㎞以内の住民を強制移住させ、立ち入り禁止の無人地帯とする政策である。ある意味、焦土作戦のようなものであったといえよう。

遷界令は、その後何度にもわたって強化され一定の効果をあげたが、家屋や耕地を失った住民の損害はきわめて大きかったため、鄭成功一派の勢力が衰えてきた4代皇帝・康熙帝の1681年からしだいに緩和されることになった。1683年に鄭氏が清朝に帰順したので、翌年の1684年には「展海令」が出され、遷界令は解除された。「明清交替」から40年かかって、ようやく東アジア情勢が安定化に向かい始めたのである。

福建省の場合、海岸から25㎞以内が立ち入り禁止となっていたが、広東省の珠江デルタではなんと40㎞であったという。もっとも、そのおかげで20年の間に豊かな土壌が形成されることになり、「遷界令」の解除後にはこの地に移住するものが続出したという。「展海令」（1684年）の施行にともなって、清朝政府に公認された唐船が大量に日本に向かうことになるが、現れた唐船の船員たちはみな弁髪となっていた。明朝の遺臣たちとはまったく異なるヘアスタイルとなっていたわけだ。

「展海令」の余波は、日本貿易だけに表れたのではない。広東省のマカオにいたポルトガル人は、中国での特権的ポジションを失うことになった。18世紀になると、ヨーロッパ商人との交易を広東港のみに限定し、独占的商人を通じて行った貿易体制ができあがる。この「広東システム」によって英国、オランダ、フランス、デンマーク、スウェーデンが、それぞれの東インド会社によって清朝との貿易に参入し、ポルトガルのポジションは縮小していった。

## 「棲み分け」が定着し固定化した18世紀の東アジア

「第1次グローバリゼーション」終息後の「平和な18世紀」だが、18世紀はむしろ「近代」

が始まる前の「嵐の前の静けさ」であったと考えていいかもしれない。

東アジア海域は、まず東シナ海海域では日本から安定化が始まり、朝鮮半島が落ち着き、中国が落ち着き、それぞれの国ごとの「棲み分け」が確立し秩序が固定化した。江戸時代の日清関係は、現代用語をつかえば内政不干渉ということになろう。

『海外情報からみる東アジア―唐船風説書の世界』（松浦章）によれば、清朝の康熙帝は、腹心の部下である官僚を貿易商人に偽装させて密偵として日本に送り込み、日本に大陸侵攻の可能性があるかスパイ活動をさせたこともあったらしい。だが、日本側にその意図がまったくないことを確認後は、貿易関係という非公式ルートをつうじた間接的コミュニケーションが成立している。

清朝は日本に密偵を送り込んでいたが、幕府は逆に中国国内での情報収集は行っていなかった。中国関連の情報収集は、もっぱら日本に来航する中国商人に義務づけていた「唐船風説書」という二次情報に頼っていたのだ。日本人を海外に出国させないという「鎖国」政策に、みずからの手足を縛られていたのである。

戦国時代には「忍びの者」、江戸時代をつうじて「隠密（おんみつ）」をフルに活用していたにもかかわらず、幕末になるまで海外にかんしては一次情報の収集体制は復活していない。おなじ島国とはいえ、16世紀後半以来、情報活動においてスパイをフルに活用してきた英国との大きな違いだ。

東アジアの日中朝の3カ国のいずれも「鎖国」体制をとるが、「国民経済」と「国民意識」を発達させたのは「島国日本」だけだった。清朝を中心とした「華夷秩序」から距離を置いていたことで、結果的に「華夷秩序」から「離脱」する方向に向かったのである。そのおかげで、明治維新後にはいち早く「ウェストファリア体制」に参入することが可能となったのである。

## 「交易の時代」が去ったのちの東南アジア

東南アジアに繁栄をもたらした「交易の時代」が1640年代に終わると、東南アジアの各地域は経済が減速し、いずれも世界史の表舞台から去っていった。

「国際商業ブーム」の終焉は「第1次グローバリゼーション」の終焉でもあったわけだが、南シナ海海域ではインドシナ半島のベトナム、カンボジア、シャム、パタニ、そしてスペインが領有するフィリピン、オランダが押さえたインドネシア、中核の港市であったマラッカも経済が衰退していった。

日本人の海外渡航禁止令後も日本人キリシタンが現地で活動しており、日本への生糸輸出に依存していたベトナムだが、「鎖国」体制完成後は日本市場の縮小と消滅によって、ふたたび農業国に戻っていった。国際交易の中心舞台から切り離されることで、その後の東南アジア世界では異質の性格をもつことになった。

この頃からもともとクメール人（＝カンボジア人）の土地であったベトナム南部への進出が始まっている。鄭成功の部下で、中国の動乱を逃れてきた楊彦迪（ベトナム語読みでズオン・ガン・ディック）など「明の遺臣」が率いて亡命してきた約3000人の難民を、当時のベトナム王朝は、人口希薄で未開拓のメコンデルタに入植させたのである。これがベトナムによる南部支配の出発点となった。華僑・華人がベトナムによる南部支配の先兵となったわけだ。

インドネシアのジャワ島には、オランダ東インド会社がバタヴィア（＝ジャカルタ）に海外本拠地をおいていたが、人口小国のオランダは、日本や中国から移民を呼び寄せる政策を行っていた。日本からの人材供給は「鎖国」のため途絶え、中国からも「海禁政策」のため禁止されたが、インドネシアに「落地生根」した華僑・華人は本国との関係を絶つことになる。

オランダは、東インド会社の解散後の19世紀以降、「第2次グローバリゼーション」時代にインドネシアを完全に植民地化し収奪を行ったが、第2次世界大戦で日本による占領後、インドネシアは独立を勝ち取ることになった。

シャム（＝タイ）は、その後も植民地になることはなく現在に至った、東南アジアでは希有な存在である。「第2次グローバリゼーション」において英国がインドを、フランスがベトナムを植民地化したなか、英国とフランスの緩衝地帯（バッファーゾーン）として植民地化を免れたのである。ベトナムは、清朝の朝貢国だったがフランスの植民地になった。第2次大戦中に日本に占領されたが、大戦後にフランスから独立、ベトナム戦争では米国を敗北に追い込んだ。

フィリピンには依然としてスペインが居座り続けることになった。「ガレオン船」による太平洋航路を利用した貿易が年1回のペースで続けられていたが、「米西戦争」（1898年）でスペインが敗れた結果、米国の植民地となった。第2次世界大戦では日米の激戦地となり、戦後に独立している。

東南アジア地域がふたたび浮上してくるのは、西欧諸国による植民地から解放され、フランスと米国による「ベトナム戦争」終結後の1980年代以降のことになる。東南アジアは3世紀ぶりに復活することになった。

### モノから始まった「脱中国化」

「中国は『地大物博』の国である」というのは、清朝最盛期の皇帝であった乾隆帝の発言だ。「地大物博」とは、中国はなんでも国産化できるから、外国と貿易する必要はない、というロジックだ。18世紀に爆発的な人口増大が始まった中国は、18世紀末時点では3億人と倍増している。「コロンブスの交換」で「新大陸」から伝来したトウモロコシが膨大な人口増加を支えることになった。食糧自給も可能であった。

ところが「地大物博」を誇る中国も、銅だけは日本から輸入していたのである。乾隆帝の時代に雲南で銅鉱山が開発されるまで、日本からの銅輸入はつづいていた。18世紀には、オランダも日本から銅を輸入しており、ヨーロッパ市場に投入された日本の銅は、スウェーデン産の銅と競合関係にあった。このことはアダム・スミスの『国富論』でも言及されている。「鎖国」体制の日本でヒトの動きは制限されていたが、モノは活発に動いていたのである。

シルクを代表とする贅沢品を中国に依存してきた日本と西欧だが、18世紀になると「国産化」を開始している。まずは日本についてみておこう。

幕府は、支払い手段としての銀が不足してきたこともあり、すでに17世紀の終わりには中国産の高級生糸の輸入制限に踏み切っている。戦国時代に衰退していた養蚕業の復興を促し、「国産品」奨励という形で「輸入代替」政策を実行するようになったのである。国産化が確立したことで、幕末の「開国」後の日本にとっては、シルク製品は有力な輸出商品となった。

18世紀前半の8代将軍吉宗の時代には、ほぼ100％輸入に頼っていた朝鮮人参の国産化も開始された。朝鮮人参は、当時は万能薬扱いされており、支配階層には不可欠の薬剤であった。日本に自生していない朝鮮人参の栽培はタネを盗むことから始まっているが、なかなか発芽することなく困難をきわめたらしい。

このほか、国産品が輸入品より価格優位性があると考えた民間業者によって、木綿やタバコなどがこの時代に国産化が進んでいる。農業生産を支えたのは、歴史人口学者の速水融氏が提唱した「勤勉革命」(Industrious Revolution)のほか、17世紀の農学者・宮崎安貞の『農業全書』に代表される「農書」の普及も大きい。

西欧でも、18世紀のはじめには、ドイツ東部のザクセン公国で、中国や日本から輸入されていた陶磁器を「国産化」する研究開発が行われ、マイセンの陶器の誕生につながっている。18世紀半ばの英国では、インドから輸入されていた高級な綿製品キャラコの「国産化」が行われるようになっていく。いずれも西欧では贅沢品だったものを「国産化」して、しかも輸出品に転換させることに成功したケースである。

日本や西欧で始まった「国産化」による「輸入代替化」政策によって、モノづくりの世界から「中国離れ」が始まっていった。この流れが、19世紀から20世紀の終わりまで続くことになったのである。「世界の工場」となった中国が経済大国としてプレゼンスを示すようになったのは、1980年代に始まった「第3次グローバリゼーション」のなかのことである。

### 東インド会社による「重商主義」の時代から「自由貿易」への転換

「第1次グローバリゼーション」によるカオス状態が終息し、あらたな秩序形成へと向かいだしたのが17世紀半ばのことである。シルバー（銀）がもたらしたグローバリゼーションを終わらせたのは、ほぼ同時に進行していた「異常気象」としての「地球寒冷化」であった。「第1次グローバリゼーション」が完全に終息したのは1680年代であり、それからの100年間、グローバリゼーションはほぼ休止状態にあった。

経済にかんしていえば、「鎖国」という管理貿易体制を確立していた日本と、「重商主義」による管理貿易で独占経済を確立していた西欧は、基本的に似たような経済体制をとっていたといえよう。オランダ東インド会社が設立されたのは1602年、イギリス東インド会社が設立されたのは1600年であり、それから約2世紀にわたって東インド会社の時代が続いていた。フランスやスウェーデン、デンマークのものも含めて、「東インド会社」は「勅許会社」であり、重商主義政策のもと独占的地位を確保していた。

だが、グローバリゼーションが休止状態にあったこの100年間、日本でも西欧でも経済成長はつづいていた。グローバリゼーションが終わったからといって、経済成長が止まるわけではない。しかしながら、管理貿易に対して、自由貿易を主張する民間勢力の利害が対立してくるのは当然であった。

英国の北米植民地で「アメリカ独立革命」が始まった1776年、アダム・スミスの『国富論』が出版されている。この本がまさに「第2次グローバリゼーション」にスイッチを入れる役割を果たすことになったのである。

「重商主義」と東インド会社の貿易独占体制に異を唱え、レッセフェール（自由放任）のもとで「見えざる手」のメカニズムを活用して市場経済を機能させるべきだというアダム・スミスの主張は「第2次グローバリゼーション」の理論的主柱となって、経済自由主義が強力に推進されていくことになった。

# 終章
# ビジネスパーソンはグローバリゼーションが終わった「17世紀の世界史」から何を学ぶべきか

1571年に始まった「第1次グローバリゼーション」は、1640年代には終わった。グローバリゼーションによって引き起こされたカオス状態は、地球レベルで大激動をもたらしたが、なにごとも未来永劫につづくものはない。カオス状態は、あらたな秩序形成のための前段階でもある。

1640年代に厳しい「地球寒冷化」を体験し、同時期にシルバー（銀）の供給量が減少することによって「国際商業ブーム」が終わり、「グローバリゼーション」も終わることになった。だが、グローバリゼーションによって引き起こされたカオス状態が、あらたな秩序となり、その秩序が安定化し、固定化するまで、およそ40年かかっている。

「グローバリゼーションは終わった」といっても、納得しないビジネスパーソンは少なくないだろう。何ごとであれ渦中にいるとわからないものだが、1990年初頭の日本の「バブル崩壊」後もまたそうだった。「バブル再来」を期待しつづけた人が多かったが、結局バブルが再来することなく現在に至っている。

グローバリゼーションが頂点に達し、強制終了させられた「17世紀の世界史」から、「第3次グローバリゼーション」が終わった2020年以降に生きる私たちが、なにを学ぶことができるか、あらためて整理しながら考えてみよう。

## 〈教訓1〉 激動期に必要なのはセルフコントロールだ!

「異常気象」に苦しめられているのは、21世紀に生きている私たちだけではない。17世紀の異常気象は「地球寒冷化」という形で襲ってきた。ここしばらく、ずっと「温暖化」のなかで生きてきた私たちには、「寒冷化」を想像しにくいが、温暖化にせよ寒冷化にせよ、異常気象であることに違いはない。もしかすると、現在の温暖化が突然終わって、寒冷化に転換する可能性もゼロでないのだ。何ごとも「想定外」とは口にしないこと、これは「3・11」(2011年)を体験した日本人にとっての大きな教訓ではないか。

17世紀の歴史を振り返ってみよう。「第1次グローバリゼーション」を強制終了させた寒冷化への対応を迫られたのは日本だけではなかった。中国もそうだし、ヨーロッパもみなそうだった。そして、そこからあらたな時代への動きが生まれてきたのである。

16世紀から17世紀のヨーロッパの支配階層や知識階層のあいだでは、古代のストア派哲学が復活して「新ストア主義」という形で大流行している。古代ローマで皇帝だったマルクス・アウレリウスの『自省録』や、奴隷だったエピクテートスの『言行録』といった古典がよく読まれたのが、この時代の特徴だ。ストア派の4つの徳は、勇気、自己規律、正義、叡智である。自己規律は、不動心をもつことにつながる。なにものにもゆるがされない強いメンタルをもつこと、これが激動期を生きるために不可欠のマインドセットであることを教えてくれる。

いつの時代だって、生きづらかったのである。現代人だけが、生きづらいわけではない。だからといって、過去を過度に美化したり、未来をひたすら明るく描くのはやめたほうがいい。「いま、ここ」が大事なのだ。

コントロールできるものと、コントロールできないものを区分すること。新型コロナウイルスはコントロール不能だ。自分の身に起こったことは、事実として受け止めること。そして、その事実から出発することが重要だ。必要なのは希望ではなく、勇気をもって道を切り開いていくことだ。いま日本が抱えている人口減少や高齢化、インフラ劣化問題など、さまざまな問題を事実として直視することが重要だ。

### 〈教訓2〉ヒトの移動は制限されたが、モノ・カネ・情報は動いていた「鎖国」で危機を乗り切った

「17世紀の危機」への対応として、世界中で「鎖国」が採用された。生命と安全は経済原理で割り切れるものではない。つまり、グローバリゼーションでは対応は不可能だからである。まずは自国の足許を固め、内部を固めること。これがなによりも重要なことを歴史が示してくれる。

「鎖国」時代の日本では、ヒトの動きには大きな制限をかけられたが、モノとカネ、そして情報は国内外をかけめぐっていた。現在ときわめてよく似た状況である。「鎖国」はまた、日本だけでなく、中国でもヨーロッパでも行われた政策だった。なかでも、「17世紀の危機」を成功裏に乗り切った幕府の政策に注目すべきだ。現在もそうだが、もともと内需比率の高い日本は、21世紀も自国の消費を回していくことで生き残れる可能性が高い。もちろん産業ごとに栄枯盛衰はつきものだが、これはいつの時代でもおなじことだ。

17世紀の日本は、「兵農分離」によって城下町を消費都市として発展させ、インフラ整備によって仕事をつくりだし、そのインフラ基盤をもとに市場経済を発展させ、多元的な社会をつくりあげることに成功したのである。そして実現したのが、「徳川の平和」（パックス・トクガワーナ）とよばれる、世界史でもまれにみる平和な世の中だった。外敵に対して強い国家であったからこそ、平和が実現したのである。

だが、そんな江戸時代も、つぎからつぎへと発生する大火事、地震や火山の噴火、津波や大洪水、台風といった自然災害、そして寒冷化傾向のなか、たびたび大流行した疫病や、飢饉にともなう飢餓によって、多くの人命が奪われている。衛生状態のよさでは世界でも指折りだった江戸時代だが、幼児死亡率の高い世の中だった。16世紀の戦国時代のように、いとも簡単に人が殺されるような時代は終わっていたが、実際はみな生きるのに必死だったのだ。

そんな時代にくらべたら、21世紀の現在のほうが、はるかに生きやすい時代になっているかもしれない。ただし、21世紀と17世紀の大きな違いは、「エネルギー革命」後の世界に生きていることだ。現在の日本は、食糧も燃料も、その多くを輸入に依存している。自国の安全確保のためはもちろん、国際協調は絶対に重要だ。グローバリゼーションと国際協調は別の話である。いや、地球環境問題解決のことを考えれば、化石燃料の使用をミニマムにもっていくべきだろう。そのためにも国際協調は欠かせない。

移動の自由を制限されていたのは、日本人だけではない。17世紀から18世紀にかけて日本に駐在していたオランダ東インド会社の社員たちは、狭い「出島」からでることを禁じられていた。「ステイホーム」を強いられていたのである。動きたくても動けなかった状況は、ロックダウンが実行された2020年の状況と似たようなものだ。

18世紀ドイツの哲学者カントは、バルト海に面した港町で人生のほとんどを過ごした人だが、旅に出ることもいっさいなく、いながらにして世界中の情報を収集し、独自の体系を築き上げている。そんなカントが、日本の「鎖国」を絶賛していたのは当然といえよう。現代にはインターネットがあるのだから、誰だってやろうと思えばカント以上の仕事ができるはずではないか。

目的をもって生きていないと、あっという間に時間は過ぎ去ってしまう。人間はいつ死ぬかわからないのだから、無為に過ごさないことが大切だ。繰り返しになるが、そのためにはセルフコントロールが大切となる。その重要性を再確認したのが、当時のヨーロッパでは新ストア主義であり、同時代の日本では禅仏教などであった。ともにメディテーション（瞑想）をともなうことが共通している。現代なら、「マインドフルネス」ということになるだろう。

## 〈教訓3〉「グローバリゼーション」が終わっても混乱の終息に40年かかる

1980年頃から始まった「第3次グローバリゼーション」は、新型コロナウイルス感染症の爆発で終焉したが、それによってもたらされた混乱はまだまだ続くであろう。「第1次グローバリゼーション」においても、危機がピークに達した1640年代から、危機が終息し安定化するまで約40年かかっている。

「第2次グローバリゼーション」は、第1次世界大戦とスペイン・インフルエンザというパンデミックで終了しただけではない。さらに追い打ちをかけるように第2次世界大戦で徹底的に破壊され、殺され尽くした。「第2次グローバリゼーション」が「第1次世界大戦」の勃発（1914年）に強制終了させられてから、第2次世界大戦後の復興が軌道に乗るまで、約40年の月日がかかっている。1930年代には、グローバリゼーションへの反動として、ファシズムやナチズム、さらに社会主義に期待する人びとを生みだしたが、現在の状況も1930年代とよく似ていると感じている人も少なくないだろう。

さらに、ヨーロッパを荒廃させた一連の「宗教戦争」と、その最後となった「三十年戦争」（1618〜1648年）も想起する必要があるだろう。16世紀から17世紀の状況と、1930年代の人間の心理状態に共通性があることを指摘しているのは、社会心理学者エーリッヒ・フロムによる『自由からの逃走』（1941年）という古典的名著だ。

「不確実性」が支配する状態で、自由と安全のどちらを選ぶか二者択一の究極の問いを突きつけられたとき、多くの人たちは自由を放棄して、権威にすがろうとした。基本的にフロムは、ナチズムに引き寄せられていく心理状態を解明しようとしているのだが、その前段で「宗教改革」時代の状況について語っている。権威に引き寄せられる心情は「宗教改革」時代にルターやカルヴァンに引き寄せられた人たちも同様であったとする。大転換期の処世術としては、ある意味では理解できないことではないが、ものごとを冷静に見つめる眼は、つねに持ち続けていたいものである。

自分の判断や行動は、けっして他人にゆだねきってしまわないことが重要だ。流されながらも、落ち着いて呼吸を整え、冷静に状況を観察できれば、かならず溺れずに浮上することができるはずだ。流れを制することも、けっして不可能ではない。困難な課題だが意識してほしい。

## 〈教訓4〉「ローカル」を重視せよ！ネットの向こうにも「ローカル」がある

「最近の若者は海外に行きたがらない」とは、よく耳にするセリフだ。バブル崩壊の頃から言われ始めた話だが、その理由は少子化の影響がストレートに出ているためだろう。地元で就職して、地元の友人たちとずっとつきあい続けたいという意向は、すでに定着したといっていい。いわゆる「地元愛」である。それは都会であろうが、地方であろうが関係ない。人間にとって自然なことである。

自分が生まれ、暮らし、生きてきたその土地から、すべてが始まるのである。「いま、ここ」から出発し、時間的にも空間的にも拡がっていくのである。だが、それはけっして自己中心的なものではない。現地化、土着化、地方分散、地産地消など、いろいろな表現があるだろうが、出発点はみな「いま、ここ」である。

「17世紀の危機」への対応が、日本でもヨーロッパでも「鎖国」であったことは、先に見たとおりだ。「鎖国」というと閉鎖的なイメージがつきものだが、その本質は、自分の領域内で足許を固めることにあった。個人レベルでいえば、自分と家族、そして友人が暮らす地域のことであり、故郷のことである。それが、拡張していくと国土になり、地球全体、さらには宇宙に拡がっていく。抽象的な話ではなく、具体的に考え、行動することが大切だ。

「脱グローバリゼーション」としての「鎖国」は、ふたたび世界各地で進行することだろう。だが、ネットでつながっているからこそ、可能になっていることがある。「ローカル」はネットの向こう側にも存在する。それは国内だけではない。ネットのなかでは国内も海外もない。「ローカル」と「ローカル」をつなぐことができるのもネットの強みだ。ネットの向こう側にある「ローカル」をつねに意識することが必要だ。

## 〈教訓5〉　源泉としての日本文化を深掘りせよ！

2020年の日本で最大のヒットになったのが『鬼滅の刃』だ。2020年だけでなく、2020年代最大のヒット作品になりうる可能性も秘めているという。TVアニメも映画も、吾峠呼世晴氏による原作マンガも、みな大ヒットしているこの作品は、主人公の竈門炭次郎も登場人物もみな日本人であり、鬼になった者たちも、もともとはみな日本人だったのだ。
舞台背景は大正時代に設定されているが、ある意味では時代を超えた日本そのものというべきだろう。鬼を退治するというモチーフそのものは、平安時代以来のものであり、酒呑童子を斬り捨てた源頼光と四天王や、戸隠の鬼女を斬り捨てた平維茂などが想起される。主人公たちが鬼と戦う躍動感あふれるダイナミックな剣劇シーンは、源頼光や平維茂を描いた19世紀の江戸時代後期の浮世絵師・歌川国芳の作品を髣髴とさせるものがある。本書は16世紀から17世紀を中心にしているので言及はしていないが、江戸時代の大衆文化が生んだ浮世絵もまた、19世紀後半以降、世界中で愛され、大きな影響を与えてきた日本文化だ。

新型コロナウイルス感染症対策でリモートワークが浸透し、外出が控えられたことがヒットに拍車をかけたことが指摘されているが、老若男女を問わず国民的な大ヒット作品になっただけでなく、海外でも熱狂的なファンがたくさん生まれているという。源泉としての日本文化を深掘りし、しかも普遍的なテーマで語ったストーリーとセリフの数々が、閉塞状態を打ち破る可能性を示してくれたわけだ。日本文化の強みは、大いに深掘りし、活かしていきたいものである。金銀銅の鉱物資源はすでに掘り尽くしてしまったが、日本文化という豊かな鉱脈が足許に眠っていることに気がつくべきだ。

日本に対する関心は依然として高い。だが、これは21世紀になってから始まったものではない。17世紀から18世紀にかけても、じつに多くの人たちが日本に関心をもち、なかには日本の「鎖国」を絶賛する人たちもいたのである。「内向き」と批判されようが、またあらたな「日本文化」をつくる時代が来ているのではないだろうか。遣唐使廃止後の「日本風」、「第1次グローバリゼーション後」の「中国離れ」、そしていま必要なのは、これまでに吸収した西欧文明の蓄積のうえに、あらたな日本文化を構築することにある。そして、これこそが、世界に対する日本の貢献となるのである。

## 〈教訓6〉 情報に敏感になれ！ 危機意識と先取精神が必要だ

「鎖国」状況で実現したのが、「徳川の平和」（パックス・トクガワーナ）であった。外敵が侵略してくる可能性のきわめて低い、幸福な状態だったわけだが、現代風にいえば、日本全体がコンフォートゾーンに入っていたといってよいかもしれない。

幕府の上層部や知識人たちは、国際情勢にはつねに目を光らせていたが、一般人までそうだったわけではない。「いま、そこに」危機があっても、気がつこうとしない人たちが大多数を占めていたことは否定できない。

内部を固めるために有効だった「鎖国」だが、外部環境の変化に対応して、もう少し早く「開国」すべきだったのではないかと、現代から振り返ってみてそう思う人は少なくないだろう。「鎖国」体制に入ったヨーロッパだが、18世紀のはじめには、もう動きだしていたのである。

「パラダイス鎖国」というビジネス用語がある。シリコンバレーのITコンサルタントの海部未知の著書『パラダイス鎖国――忘れられた大国・日本』で広く知られるようになったものだ。快適な環境にいると、外部への関心がなくなり、外に目を向けなくなってしまう現象のことを指している。だが、この現象はビジネスだけでない。あらゆる分野に見いだすことができるのではないだろうか。

「ガラパゴス化」というビジネス用語がある。「リーマンショック」(2008年)後に拡がったものだ。世界の大勢から孤立した島のなかで、イグアナなど生物が独自の進化を遂げたガラパゴス島の状態を比喩としてつかい、世界から孤立した島のなかで独自発展を遂げた日本の現状、とくに世界標準から大きく離れて進化している日本製家電について指摘したものだ。

孤立した環境に置かれた生物は、与えられた環境で独自の進化をとげるが、環境が激変すると淘汰されてしまう危険があるということを示唆している。だが、生き延びた者すべてが良性であるわけではない。悪弊もまたいったんはびこると独自に進化をとげてしまうものだ。

「内向き」も「ガラパゴス化」も、ともに良い側面と悪い側面の両方があることを意識していかなくてはならない。たとえば、２０２０年後半に話題になっている「ハンコ文化」の話もそうだ。組織内の決裁文書にいちいちハンコを押して回覧していたのでは実務が滞ってしまう。これは「悪しきガラパゴス化」である。だがその一方で、文化としてのハンコは大事にしたいものだ。これは「良いガラパゴス化」である。先に取り上げた『鬼滅の刃』は、まさに「良いガラパゴス」の成果というべきだろう。

以上、私なりに6項目にわたって「教訓」めいたものを整理してみた。もちろん、これは私なりの整理なので、この本を読んできた皆さんのものと一致しているかもしれないし、そうではないかもしれない。「神は細部に宿る」という。皆さんもぜひ、16世紀から17世紀の「激動期」に生き抜いた人たちがとった行動から、なんらかのヒントなり教訓なりを見つけ出してほしいと思う。それが、歴史を知ることのほんとうの意味なのである。このことは、なんどでも強調しておきたい。

# 終わりに

この本が誕生するきっかけとなったのは、2020年初頭から始まった「新型コロナウイルス感染症」(COVID-19)である。今回の新型コロナウイルスのパンデミックで、「グローバリゼーション」が終わったのではないか、そんな直観を抱いたことから2020年5月に急遽企画が始まった。

拙著『ビジネスパーソンのための近現代史の読み方』(ディスカヴァー・トゥエンティワン、2017年)でも、「2016年の衝撃」と題して「第3次グローバリゼーション」の問題について論じているが、今回の「新型コロナウイルス感染症」がついに強制終了させたといっても言い過ぎではないだろう。

経済活動というものは生活習慣と似ていて、いったん止まってしまうと、もう一度再開し、原状回復するには相当のエネルギーが必要になる。雑誌の休刊やクラブ活動の休部もそうだが、めったなことでは復刊や復活は実現しない。あらたな状態は「ニューノーマル」という常態となり、いったん慣れてしまうと、それ以前の状態など、何かの機会でもなければ思い出すことすらなくなる。いわゆる「慣性の法則」である。「コロナの記憶」も、過ぎてしまえば、あっという間に忘れ去られてしまうことだろう。だが、それがいつになるのかは、いまこれを書いている時点では、確実なことは誰にもわからない。「不確実性」の領域の話なのだ。

とはいえ、人類は苦難にぶつかるたびに、なんとかそれを乗り越えて生き延びようと前に進んできた。本書で扱った16世紀から17世紀にかけての時代は「大転換期」であり、そこからあらたな時代が切り開かれたのである。おなじく大転換期に生きている21世紀の人間として、なんらかのヒントを見いだすことができるのではないだろうか。歴史は、未来に一歩踏み出すために必要な「実学」なのだ。

本書はもちろん独立の作品として書かれているが、もし興味を感じていただいた方は、ぜひ前著『ビジネスパーソンのための近現代史の読み方』も手に取っていただけると著者としてはたいへんうれしく思う。本書は、前著の続編、あるいは姉妹編と考えていただいて、まったく問題ない。

＊＊＊

職業人生の大半をビジネス界で過ごしてきた私だが、大学学部時代の専攻は歴史学であり、しかも所属したゼミナールはヨーロッパ中世史であった。本書の内容が、中世から近世への大転換期を描いたものだけに、「昔取った杵柄」といった感がなくもない。

卒論として書いた『中世フランスにおけるユダヤ人の経済生活』では、中世キリスト教の利子禁止思想について取り上げている。この内容は、本文に反映させることができた。

また、当時、活字の「向こう側」で出会っただけの歴史家たちとの、紙上での再会もまた楽しいものであった。現在では『気候の歴史』で著名なフランスの歴史学者ル＝ロワ＝ラデュリの歴史人類学の成果『モンタイユー』は、当時はまだ日本語訳が出るはるか前のことであり、恩師の阿部謹也先生のもと、ゼミナールで講読していた時間が懐かしい。

「中世」というのは、そこから「古代」にさかのぼることもできるし、また時代を下って「近代」もクリアに見えてくる絶好のポジションである。世界的なベストセラーとなった『サピエンス全史』の著者で、イスラエルの歴史家で哲学者ユヴァル・ノア・ハラリ氏の専攻が中世史であったのは、けっして意外なことではない。

大学学部を卒業してビジネスパーソンになってからのことだが、資本主義の総本山ともいうべき米国でＭＢＡ（経営管理修士）の勉強をする機会を得た。ニューヨーク州にある米国最古の工科大学であるレンセラー工科大学（ＲＰＩ）だが、日本から持ち込んだ本の1冊がマックス・ウェーバーの『プロテスタンティズムの倫理と資本主義の精神』の文庫本であった。大学入学後にすぐに読んだ本だが、プロテスタント国の米国で読むと気づきが多い。納得する箇所が多かったことを思い出す。

かつて仕事の関係で足かけ3年ほどタイのバンコクにいたこともあり、東南アジアには土地勘がある。16世紀の「第1次グローバリゼーション」は、東アジアの中国と日本だけでなく、東南アジアが輝いていた時代である。20世紀後半以降にふたたび「アジアの時代」がやってきてＡＳＥＡＮ諸国が脚光を浴びることになった。これまで世界各地を歩き回った体験が、隠し味としてにじみ出ていると感じてもらえば、著者としては幸いだ。

＊＊＊

本書の執筆中のある日、朝目覚めてベッドから出て床に足をおろした瞬間、右足のかかとに激痛が走った。なんと痛風だったのだ。生活習慣病としての痛風の不意討ちをくらうとは、まことにもって不覚であった。贅沢病とされ、かつては日本には存在しなかった痛風だが、生活習慣の洋風化とともに日本人のあいだに拡がったとされている。

自分が痛風になってみて初めて気づいたのであるが、16世紀から17世紀にかけての西欧には、とりわけ痛風がらみの有名人が多い。この件については本文では触れていないが、16世紀には宗教改革のルターやカルヴァン、神聖ローマ皇帝カール5世、その息子だったスペイン国王フェリペ2世、17世紀にはフランシス・ベーコン、ガリレオ・ガリレイ、クロムウェル、ニュートン、ルイ14世など、痛風患者は多士済々だ。

しかも、痛風の原因となる尿酸の結晶を初めて顕微鏡で目視したのは、17世紀オランダの微生物学者レーウェンフックであった。第3章に掲載したフェルメールの作品「地理学者」のモデルとされている。痛風患者は男性が圧倒的に多いとされているが、女性も無縁ではないことを知っておいていただきたいと思う。あまり知られていないが、18世紀初頭の英国のアン女王もまた、痛風に苦しんでいたのである。

＊＊＊

お世話になった方々は多数に及ぶが、若干名だけ記させていただきたい。本書の執筆にあたっては、ビジネス系ウェブメディアJBpressに連載したコラムの一部を使用している。再編集して書き直しているが、２０１７年6月から3年にわたってコラム執筆の機会をいただいた編集長の鶴岡弘之様には、この場を借りて感謝申し上げたい。

東アジアの近世史にかんしては、この分野の碩学である古田博司先生（筑波大学名誉教授）からいろいろとご教示をいただいた。政治思想史専攻の古田先生からは、17世紀を代表する思想家ホッブズにかんする示唆もいただいている。『日本政治思想史〔十七〜十九世紀〕』（渡辺浩、東京大学出版会）という名著を読むよう、強く勧めていただいたことも付記しておこう。この本はみなさんにもぜひ読むことを勧めたい。

このほか、ベルリンとロンドン、さらにソウルの駐在経験をおもちの森千春氏（読売新聞論説委員）をはじめ、日頃から意見交換させていただいている方々に感謝したい。もちろん、本書の内容は無数の研究蓄積をもとにした個人的見解であることはいうまでもない。17世紀の「知の巨人」ニュートンの発言ではないが、しょせん「巨人の肩の上に乗っているに過ぎない」のである。

編集を担当していただいた藤田浩芳氏には、企画段階からたいへんお世話になった。これまでディスカヴァー・トゥエンティワンから出た拙著は、すべて藤田氏に担当していただいているが、今回はあらたに林拓馬氏も編集に参加していただいている。歴史通の藤田氏とは、「ビジネスパーソンに歴史を学ぶ意味を伝えなくてはならない」という問題意識を共有している。ビジネス書のフォーマットで歴史を書くというミッションは、ぜひ今後も続けていきたいと考えている。

2020年11月3日　米国大統領選の投票日に

佐藤けんいち

Alfred W. Crosby, The Colombian Exchange: Biological and Cultural Consequences of 1492 (30th Anniversary Edition), Praeger, 2003

Erich Fromm, Escape from Freedom, Henry Holt, 1992

Philip S. Gorski, The Disciplinary Revolution: Calvinism and the Rise of the State in Early Modern Europe, University of Chicago Press, 2003

Samuel Hawley, The Imjin War: Japan's Sixteenth-Century Invasion of Korea and Attempt to Conquer China, Conquistador Press, 2014

Jonathan I. Israel, The Dutch Republic: Its Rise, Greatness, and Fall 1477-1806, Oxford University Press, 1998

Colin McEvedy & Richard Jones, Atlas of World Population History, Puffin, 1978

Angus Maddison, Development Centre Studies, The World Economy: Volume 1: A Millennial Perspective and Volume 2: Historical Statistics, OECD Publishing, 2010

Geoffrey Parker, The Military Revolution: Military Innovation and the Rise of the West 1500-1800 2nd Edition, Cambridge University Press, 1996

Geoffrey Parker, Global Crisis: War, Climate Change and Catastrophe in the Seventeenth Century, Yale University Press, 2013

Kenneth M. Swope, A Dragon's Head and a Serpent's Tail: Ming China and the First Great East Asian War, 1592-1598, University of Oklahoma Press, United States, 2016

Adrian Tinniswood, The Royal Society (The Landmark Library Book 15), Head of Zeus、2019

フランシス・ベーコン、ホッブズ、アダム・スミス、スウィフト等の原文については、ネット上に無料公開されている「Project Gutenberg」などを利用した。

〈その他〉

『世界史年表』(山川出版社)

『世界史地図』(吉川弘文館)

かした50の戦い』（森本哲郎監修、原書房、2008）

アンソニー・リード　『大航海時代の東南アジアⅠ―貿易風の下で』（叢書・ウニベルシタス）』（平野秀秋／田中優子訳、法政大学出版局、1997）

アンソニー・リード　『大航海時代の東南アジアⅡ―拡張と危機（叢書・ウニベルシタス）』（平野秀秋／田中優子訳、法政大学出版局、2002）

ル＝ロワ＝ラデュリ　『新しい歴史―歴史人類学への道』（樺山紘一他訳、新評論、1980）

ル＝ロワ＝ラデュリ　『気候の歴史』（稲垣文雄訳、藤原書店、2000）

ル＝ロワ＝ラデュリ　『気候と人間の歴史・入門　【中世から現代まで】』（稲垣文雄訳、藤原書店、2009）

ル＝ロワ＝ラデュリ　『気候と人間の歴史Ⅰ―猛暑と氷河　十三世紀から十八世紀』（稲垣文雄訳、藤原書店、2019）

レクリヴァン　『イエズス会―世界宣教の旅（「知の再発見」双書）』（垂水洋子訳、創元社、1996）

ピーター・ロージ　『アジアの軍事革命―兵器から見たアジア史』（本野栄一訳、昭和堂、2012）

蠟山政道　『国際社会における国家主権』（講談社学術文庫、1977）

ジョン・ロック　『寛容についての手紙』（加藤　節／李　静和訳、岩波文庫、2018）

ダニ・ロドリック　『グローバリゼーション・パラドクス―世界経済の未来を決める三つの道』（柴山桂太／大川良文訳、白水社、2013）

渡辺京二　『逝きし世の面影（日本近代素描1）』（葦書房、1998）

渡辺京二　『日本近世の起源―戦国乱世から徳川の平和（パックス・トクガワーナ）へ』（洋泉社、2008）

渡辺京二　『バテレンの世紀』（新潮社、2017）

渡辺信夫　『カルヴァン（人と思想10）』（清水書院、1968）

渡辺　浩　『日本政治思想史十七～十九世紀』（東京大学出版会、2010）

Charles Ralph Boxer, The Christian Century in Japan 1549-1650, Ishi Press, United States, 2020

山内一也　『ウイルスの意味論―生命の定義を超えた存在』（みすず書房、2018）
山内恭彦他　『近代の成立と中世（どう考えるか5)』（二玄社、1975）
山内　進　『新ストア主義の国家哲学―ユストゥス・リプシウスと初期近代ヨーロッパ』（千倉書房、1985）
山内　進　『掠奪の法観念史―中・近世ヨーロッパの人・戦争・法』（東京大学出版会、1993）
山内　進　『文明は暴力を超えられるか』（筑摩書房、2012）
山形欣哉　『歴史の海を走る―中国造船技術の航跡（図説　中国文化百科16)』（農山漁村文化協会、2004）
山口啓二　『鎖国と開国』（岩波現代文庫、2006）
山田吉彦　『完全図解　海から見た世界経済』（ダイヤモンド社、2016）
山本七平　『徳川家康（山本七平ライブラリー6)』（文藝春秋、1997）
山本紀綱　『長崎唐人屋敷』（謙光社、1983）
山本秀也　『習近平と永楽帝―中華帝国皇帝の野望』（新潮新書、2017）
山本博文　『家光は、なぜ「鎖国」をしたのか』（河出文庫、2017）
山本義隆　『一六世紀文化革命　1・2』（みすず書房、2007）
山脇悌二郎　『長崎の唐人貿易（日本歴史叢書)』（吉川弘文館、1964）
山脇悌二郎　『抜け荷―鎖国時代の密貿易』（日経新書、1965）
山脇悌二郎　『長崎のオランダ商館―世界のなかの鎖国日本』（中公新書、1980）
山脇悌二郎　『事典　絹と木綿の江戸時代』（吉川弘文館、2002）
湯浅赳男　『文明の「血液」―貨幣から見た世界史』（新評論、1988）
湯浅赳男　『ユダヤ民族経済史』（新評論、1991）
横山宏章　『長崎　唐人屋敷の謎』（集英社新書、2011）
吉見俊哉　『大予言「歴史の尺度」が示す未来』（集英社新書、2017）
リヴェ　『宗教戦争（文庫クセジュ)』（二宮宏之／関根素子訳、白水社、1968）
ジェフリー・リーガン　『ヴィジュアル版「決戦」の世界史 歴史を動

たか』（日本経済新聞出版、2011）
水野和夫　『資本主義の終焉と歴史の危機』（集英社新書、2014）
水野和夫　『閉じてゆく帝国と逆説の21世紀経済』（集英社新書、2017）
水野大樹　『図解 火砲』（新紀元社、2013）
三宅英利　『近世の日本と朝鮮』（講談社学術文庫、2006）
三宅理一　『マニエリスム都市—シュトラスブルクの天文時計』（平凡社、1988）
宮崎揚弘　『ペストの歴史』（山川出版社、2015）
村井章介　『海から見た戦国日本—列島史から世界史へ』（ちくま新書、1997）
村上陽一郎　『ペスト大流行—ヨーロッパ中世の崩壊』（岩波新書、1983）
村上　隆　『金・銀・銅の日本史』（岩波新書、2007）
村川堅固／尾崎義訳　『セーリス日本渡航記　ヴィルマン日本滞在記（新異国叢書6）』（雄松堂書店、1970）
村松恒一郎　『文化と経済』（東洋経済新報社、1977）
アンドレ・モロワ　『英国史　上下』（水野成夫／小林正訳、新潮文庫、1993復刊）
桃木至朗編　『海域アジア史研究入門』（岩波書店、2008）
森　千春　『ビジネスパーソンのための世界情勢を読み解く10の視点—ベルリンの壁からメキシコの壁へ』（ディスカヴァー・トゥエンティワン、2017）
森岡美子　『世界史の中の出島—日欧通交史上長崎の果たした役割』（長崎文献社、2001）
森安達也　『神々の力と非力（これからの世界史8）』（平凡社、1994）
矢沢利彦　『中国とキリスト教—典礼問題（世界史研究双書）』（近藤出版社、1972）
安田喜憲　『森のこころと文明』（NHKライブラリー、1996）
安田喜憲　『気候変動の文明史』（NTT出版、2004）
柳原正治　『グロティウス（人と思想）　』（清水書院、2000）

経済の形成』（川北稔監訳、名古屋大学出版会、2015）
本多博之 『天下統一とシルバーラッシュ―銀と戦国の流通革命（歴史文化ライブラリー）』（吉川弘文館、2015）
牧　英正 『人身売買』（岩波新書、1971）
ウィリアム・マクニール 『疫病と世界史　上下』（佐々木昭夫訳、中公文庫、2007）
ウィリアム・マクニール 『戦争の世界史　上下』（高橋均訳、中公文庫、2014）
増井経夫 『中国の銀と商人（研文選書）』（研文出版、1986）
増田義郎 『図説　大航海時代（ふくろうの本）』（河出書房新社、2008）
松浦　章 『中国の海賊（東方選書）』（東方書店、1995）
松浦　章 『海外情報からみる東アジア―唐船風説書の世界』（清文堂出版、2009）
松浦　茂 『清の太祖　ヌルハチ（中国歴史人物選11）』（白帝社、1995）
松尾晋一 『江戸幕府と国防』（講談社選書メチエ、2013）
松岡正剛監修、編集工学研究所構成 『情報の歴史―象形文字から人工知能まで』（NTT出版、1990）
松方冬子 『オランダ風説書―「鎖国」日本に語られた「世界」』（中公新書、2010）
松田毅一 『黄金のゴア盛衰記―欧亜の接点を訪ねて』（中公文庫、1977）
松本　太 『世界史の逆襲―ウェストファリア・華夷秩序・ダーイシュ』（講談社、2016）
松本信広 『ベトナム民族小史』（岩波新書、1969）
マルサス 『人口論』（斉藤悦則訳、光文社古典新訳文庫、2011）
丸橋充拓 『江南の発展―南宋まで（シリーズ　中国の歴史②）』（岩波新書、2020）
三浦雅士編 『大航海No.41　特集カリスマ―天皇制からイスラーム原理主義まで、現代社会を解く鍵！』（新書館、2001）
三杉隆敏 『海のシルクロードを調べる事典』（芙蓉書房出版、2006）
水野和夫 『終わりなき危機―君はグローバリゼーションの真実を見

フランク　『リオリエント—アジア時代のグローバル・エコノミー』（山下範久訳、藤原書店、2000）

デニス・フリン　『グローバル化と銀（YAMAKAWA LECTURES）』（秋田茂／西村雄志編、山川出版社、2010）

ティモシー・ブルック　『フェルメールの帽子—作品から読み解くグローバル化の夜明け』（本野英一訳、岩波書店、2014）

古田博司　『東アジア・イデオロギーを超えて』（新書館、2003）

古田博司　『日本文明圏の覚醒』（筑摩書房、2010）

古田博司　『ヨーロッパ思想を読み解く—何が近代科学を生んだか』（ちくま新書、2014）

古田博司　『旧約聖書の政治史—預言者たちの過酷なサバイバル』（春秋社、2020）

フェルナン・ブローデル　『歴史入門』（金塚貞文訳、中公文庫、2009）

ブロール　『オランダ史（文庫クセジュ）』（西村六郎訳、白水社、1994）

フランシス・ベーコン　『ニュー・アトランティス』（川西進訳、岩波文庫、2003）

ジョセフ・ペレス　『ハプスブルク・スペイン 黒い伝説—帝国はなぜ憎まれるか』（小林一宏訳、筑摩書房、2017）

サンドラ・ヘンペル　『ビジュアル パンデミック・マップ—伝染病の起源・拡大・根絶の歴史』（竹田誠／竹田美文監修、関谷冬華訳、日経ナショナルジオグラフィック社、2020）

ホイジンガ　『レンブラントの世紀（歴史学叢書）』（栗原福也訳、創文社、1968）

マイケル・ポーター　『国の競争優位　上下』（土岐坤他訳、ダイヤモンド社、1992）

ホッブズ　『リヴァイアサン　1・2』（角田安正訳、光文社古典新訳文庫、2014・2018）

ホッブズ　『ビヒモス』（山田園子訳、岩波文庫、2014）

ボダルト＝ベイリー　『ケンペルと徳川綱吉』（中直一訳、中公新書、1994）

ケネス・ポメランツ　『大分岐—中国、ヨーロッパ、そして近代世界

ルイス・ハンケ 『スペインの新大陸征服』(染田秀藤訳、平凡社、1979)

スーザン・ハンレー 『江戸時代の遺産―庶民の生活文化(中公叢書)』(中央公論社、1990)

尾藤正英 『江戸時代とはなにか―日本史上の近世と近代』(岩波現代文庫、2006)

平久保章 『隠元(人物叢書)』(吉川弘文館、1989)

平川 新 『戦国日本と大航海時代―秀吉・家康・政宗の外交戦略』(中公新書、2018)

平野 聡 『興亡の世界史17 大清帝国と中華の混迷』(講談社、2007)

弘末雅士編 『海と陸の織りなす世界史―港市と内陸社会』(春風社、2018)

ファン・ハーレン 『日本論―日本キリシタンとオランダ』(井田清子訳、1982)

フェイガン 『歴史を変えた気候大変動』(東郷えりか/桃井緑美子訳、河出書房新社、2001)

フォッセスタイン 『オランダ―水に囲まれた暮らし』(谷下雅義編訳、中央大学出版部、2017)

マルク・ブロック 『王の奇跡―王権の超自然的性格に関する研究 特にフランスとイギリスの場合』(井上泰男/渡邊昌美訳、刀水書房、1998)

フックス 『完訳 風俗の歴史 1 ルネサンスの肉体観』(安田徳太郎訳、角川文庫、1972)

福田眞人/鈴木則子編 『日本梅毒史の研究―医療・社会・国家』(思文閣出版、2005)

藤木久志 『新版 雑兵たちの戦場―中世の傭兵と奴隷狩り』(朝日選書、2005)

藤木久志 『天下統一と朝鮮侵略』(講談社学術文庫、2005)

藤田 覚 『松平定信―政治改革に挑んだ老中』(中公新書、2013)

船橋洋一編著 『ガラパゴス・クール』(東洋経済新報社、2017)

布野修司編著 『近代世界システムと植民都市』(京都大学学術出版会、2005)

バーンスタイン　『華麗なる交易―貿易は世界をどう変えたか』（鬼澤忍訳、日本経済新聞出版社、2010）

グナル・ハインゾーン　『自爆する若者たち―人口学が警告する驚愕の未来』（猪股和夫訳、新潮選書、2008）

芳賀　徹　『文明としての徳川日本　一六〇三－一八五三年』（筑摩選書、2017）

朴忠錫／渡辺浩編　『国家理念と対外認識　17－19世紀（日韓共同研究叢書3）』（慶應義塾大学出版会、2001）

羽田　正　『興亡の世界史15　東インド会社とアジアの海』（講談社、2007）

ハレー　『歴史としての冷戦―超大国時代の史的構造』（太田博訳、サイマル出版会、1970）

半田元夫／今野國雄　『キリスト教史II（世界宗教叢書2）』（山川出版社、1977）

パーカー　『長篠合戦の世界史―ヨーロッパ軍事革命の衝撃1500－1800年』（大久保桂子訳、同文舘出版、1995）

濱下武志　『朝貢システムと近代アジア』（岩波書店、1997）

濱下武志編　『東アジア世界の地域ネットワーク（シリーズ国際交流3）』（山川出版社、1999）

濱下武志／川勝平太編　『アジア交易圏と日本工業化　1500～1900（社会科学の冒険12）』（リブロポート、1991）

ハメル　『朝鮮幽囚記（東洋文庫）』（生田滋訳、平凡社、1969）

林　綾野　『フェルメールの食卓―暮らしとレシピ』（講談社、2011）

速水　融　『歴史人口学で見た日本』（文春新書、2001）

速水　融　『歴史学との出会い』（慶應義塾大学出版会、2010）

速水　融編　『歴史のなかの江戸時代』（藤原書店、2011）

ハワード　『ヨーロッパ史における戦争（改訂版）』（奥村房夫／奥村大作訳、中公文庫、2010）

バンガート　『イエズス会の歴史』（上智大学中世思想研究所監修、原書房、2004）

1992・1993）
エマニュエル・トッド他　『グローバリズムが世界を滅ぼす』（文春新書、2014）
トーニー　『宗教と資本主義の興隆　上下』（出口勇蔵／越智武臣訳、岩波文庫、1956）
土肥恒之　『ピョートル大帝とその時代―サンクト・ペテルブルク誕生』（中公新書、1992）
ロナルド・トビ　『「鎖国」という外交（全集 日本の歴史9）』（小学館、2008）
中井久夫　『西欧精神医学背景史』（みすず書房、1999）
長尾龍一　『リヴァイアサン―近代国家の思想と歴史』（講談社学術文庫、1994）
長崎市史編さん委員会監修　『わかる！和華蘭―『新長崎市史』普及版』（長崎新聞社、2015）
永積　昭　『オランダ東インド会社』（講談社学術文庫、2000）
永積洋子　『朱印船』（吉川弘文館、2001）
永積洋子編　『「鎖国」を見直す（シリーズ国際交流1）』（山川出版社、1999）
中西輝政　『帝国としての中国―覇権の論理と現実』（東洋経済新報社、2004）
中野剛志　『世界を戦争に導くグローバリズム』（集英社新書、2014）
中野剛志／柴山桂太　『グローバリズム　その先の悲劇に備えよ』（集英社新書、2017）
中野　等　『文禄・慶長の役（戦争の日本史16）』（吉川弘文館、2008）
奈良修一　『鄭成功―南海を支配した一族（世界史リブレット人42）』（山川出版社、2016）
ニーダム（ジョゼフ）『中国科学の流れ』（牛山輝代訳、思索社、1984）
西村三郎　『毛皮と人間の歴史』（紀伊國屋書店、2003）
西村三郎　『リンネとその使徒たち―探検博物学の夜明け』（朝日選書、1997）

田中優子／松岡正剛　『日本問答』（岩波新書、2017）
玉木俊明　『海洋帝国興隆史―ヨーロッパ・海・近代世界システム―』（講談社選書メチエ、2014）
玉木俊明　『ヨーロッパ覇権史』（ちくま新書、2015）
檀上　寛　『陸海の交錯　明朝の興亡（シリーズ中国の歴史④）』（岩波新書、2020）
田家　康　『気候文明史―世界を変えた8万年の攻防』（日本経済新聞出版社、2010）
カルロ・チポラ　『大砲と帆船―ヨーロッパの世界制覇と技術革新』（大谷隆昶訳、平凡社、1996）
エイミー・チュア　『最強国の条件』（徳川家広訳、講談社、2011）
塚本　学　『生類をめぐる政治―元禄のフォークロア』（講談社学術文庫、2013）
ツュンベリー　『江戸参府随行記』（高橋文訳、平凡社東洋文庫、1994）
鶴見良行　『マラッカ物語』（時事通信社、1981）
デ・ソウザ／岡美穂子　『大航海時代の日本人奴隷―アジア・新大陸・ヨーロッパ（中公叢書）』（中央公論新社、2017）
テスタス　『異端審問（文庫クセジュ）』（安斎和雄訳、白水社、1974）
テュヒレ他　『キリスト教史 5―信仰分裂の時代』（上智大学中世思想研究所編訳・監修、平凡社ライブラリー、1997）
テュヒレ他　『キリスト教史 6―バロック時代のキリスト教』（上智大学中世思想研究所編訳・監修、平凡社ライブラリー、1997）
東京農大オランダ100の素顔編集委員会編　『オランダ100の素顔―もうひとつのガイドブック』（東京農業大学出版会、2001）
ドイツ－日本研究所編　『ケンペル展―ドイツ人の見た元禄時代』（ドイツ－日本研究所、1990）
東光博英　『マカオの歴史―南蛮の光と影（あじあブックス）』（大修館書店、1998）
戸田藤成　『武器と防具　日本編』（新紀元社、1994）
エマニュエル・トッド　『新ヨーロッパ大全Ⅰ・Ⅱ』（藤原書店、

高澤紀恵　『主権国家体制の成立（世界史リブレット）』（山川出版社、1997）

高山　宏　『近代文化史入門―超英文学講義』（講談社学術文庫、2007）

高瀬弘一郎　『キリシタンの世紀―ザビエル渡日から「鎖国」まで』（岩波書店、1993）

高瀬弘一郎　『キリシタン時代の研究』（岩波書店、1977）

高橋裕史　『武器・十字架と戦国日本―イエズス会宣教師と「対日武力征服計画」の真相』（洋泉社、2012）

田口一夫　『ニシンが築いた国オランダ―海の技術史を読む』（成山堂書店、2002）

竹内　誠監修　『ビジュアル・ワイド江戸時代館』（小学館、2013）

武田龍夫　『物語スウェーデン史―バルト大国を彩った国王、女王たち』（新評論、2003）

武田将明　『デフォー　「ペストの記憶」（100分de名著）』（NHK出版、2020）

武田万里子　『鎖国と国境の成立（同成社江戸時代史叢書）』（同成社、2005）

竹村公太郎　『日本史の謎は「地形」で解ける』（PHP文庫、2013）

田代和生　『新・倭館―鎖国時代の日本人町』（ゆまに書房、2011）

立石博高　『フェリペ2世―スペイン帝国のカトリック王（世界史リブレット人52）』（山川出版社、2020）

立川昭二　『病気の社会史―文明に探る病因』（NHKブックス、1971）

立川昭二　『近世病草紙―江戸時代の病気と医療』（平凡社選書、1979）

マイク・ダッシュ　『チューリップ・バブル―人間を狂わせた花の物語』（明石三世訳、文春文庫、2000）

田中健夫　『倭寇―海の歴史』（講談社学術文庫、2012）

田中英道　『誰も語らなかったフェルメールと日本』（勉誠出版、2019）

田中　浩　『ホッブズ―リヴァイアサンの哲学者』（岩波新書、2016）

田中優子　『グローバリゼーションの中の江戸』（岩波ジュニア新書、2012）

下村寅太郎　『スウェーデン女王クリスチナ―バロック精神史の一肖像』（中公文庫、1992）

ジャカン　『海賊の歴史―カリブ海、地中海から、アジアの海まで（「知の再発見」双書）』（増田義郎監修、後藤淳一／及川美枝訳、創元社、2003）

カール・シュミット　『陸と海と―世界史的一考察』（生松敬三／前野光弘訳、福村出版、1971）

スウィフト　『ガリヴァ旅行記』（中野好夫訳、新潮文庫、1951）

杉山伸也　『グローバル経済史入門』（岩波新書、2014）

鈴木浩三　『江戸の経済システム―米と貨幣の覇権争い』（日本経済新聞社、1995）

鈴木静夫　『物語　フィリピンの歴史―「盗まれた楽園」と抵抗の500年』（中公新書、1997）

スピノザ　『神学・政治論　上下』（吉田量彦訳、光文社古典文庫、2014）

アダム・スミス　『国富論　Ⅰ・Ⅱ・Ⅲ』（大河内一男監訳、中公文庫、1978）

石　平　『なぜ中国は覇権の妄想をやめられないのか―中華秩序の本質を知れば「歴史の法則」がわかる』（PHP新書、2015）

関　曠野　『民族とは何か』（講談社現代新書、2001）

関　曠野　『なぜヨーロッパで資本主義が生まれたのか―西洋と日本の歴史を問い直す』（NTT出版、2016）

瀬野馬熊　『朝鮮史大系（三）　近世史（ユーラシア叢書）』（原書房、1975）

瀬原義生　『中・近世ドイツ鉱山業と新大陸銀』（文理閣、2016）

ソール　『帳簿の世界史』（村井章子訳、文藝春秋、2015）

園田一亀　『韃靼漂流記の研究（ユーラシア叢書）』（原書房、1980）

ヴェルナー・ゾンバルト　『恋愛と贅沢と資本主義』（金森誠也訳、論創社、1987）

ジャレド・ダイアモンド　『銃・病原菌・鉄　上下』（倉骨　彰訳、草思社、2000）

英社、2012）
桜井邦朋 『太陽黒点が語る文明史―「小氷河期」と近代の成立』（中公新書、1987）
桜田美津夫 『物語　オランダの歴史―大航海時代から「寛容」国家の現代まで』（中公新書、2017）
薩摩真介 『〈海賊〉の大英帝国―掠奪と交易の四百年史』（講談社選書メチエ、2018）
雑誌『和華』編集部 『和華 第21号　日中文化交流誌 特集：知っていますか？黄檗宗』（アジア太平洋観光社、2019）
佐藤けんいち 『ビジネスパーソンのための近現代史の読み方』（ディスカヴァー・トゥエンティワン、2017）
佐藤けんいち編訳 『超訳 自省録　よりよく生きる』（ディスカヴァー・トゥエンティワン、2019）
佐藤弘幸 『図説　オランダの歴史』（河出書房新社、2012）
シヴェルブシュ 『楽園・味覚・理性―嗜好品の歴史』（福本義憲訳、法政大学出版局、1988）
シェファー 『胡椒　暴虐の世界史』（栗原泉訳、白水社、2014）
志垣嘉夫編 『近世ヨーロッパ　西洋史（5）』（有斐閣新書、1980）
ジスベール／ビュルレ 『地中海の覇者ガレー船（「知の再発見」双書88）』（深沢克己監修、遠藤ゆかり／塩見明子訳、創元社、1999）
科野孝蔵 『オランダ東インド会社の歴史』（同文舘出版、1988）
科野孝蔵 『栄光から崩壊へ―オランダ東インド会社盛衰史』（同文舘出版、1993）
しにか編集室編 『月刊しにか VOL.4 特集・江戸の中国趣味（シノワズリ）―憧れと遊びのまなざし』（大修館書店、1993）
篠田耕一 『武器と防具　中国編』（新紀元社、1992）
篠田達明 『徳川将軍家十五代のカルテ』（新潮新書、2005）
篠原昭／嶋崎昭典／白倫編 『絹の文化誌』（信濃毎日新聞社、1991）
司馬遼太郎 『街道をゆく35　オランダ紀行』（朝日文庫、1994）
清水紘一 『キリシタン禁制史（歴史新書）』（教育社、1981）

1996）
小泉　徹　『クロムウェル―「神の摂理」を生きる（世界史リブレット「人」）』（山川出版社、2015）
黄　仁宇　『中国マクロヒストリー』（山本英史訳、東方書店、1994）
黄　仁宇　『万暦十五年―1587「文明」の悲劇』（稲畑耕一郎他訳、東方書店、1989）
幸田成友　『日歐通交史』（岩波書店、1942）
幸田成友　『江戸と大阪（冨山房百科文庫）』（冨山房、1995）
小岸　昭　『スペインを追われたユダヤ人―マラーノの足跡を訪ねて』（ちくま学芸文庫、1996）
小岸　昭　『離散するユダヤ人―イスラエルへの旅から』（岩波新書、1997）
人間文化研究機構国立歴史民俗博物館編　『歴史のなかの鉄炮伝来―種子島から戊辰戦争まで―』（人間文化研究機構国立歴史民俗博物館、2006）
小暮実徳　『東西海上交流―オランダと海国日本の黎明』（彩流社、2017）
小島慶三　『江戸の産業ルネッサンス―近代化の源泉をさぐる』（中公新書、1989）
小葉田淳　『日本鉱山史』（岩波書店、1968）
小林頼子訳著　『ヤン・ライケン　西洋職人図集』（池田みゆき訳、八坂書房、2001）
小堀桂一郎　『鎖国の思想―ケンペルの世界史的使命』（中公新書、1974）
小室直樹　『世紀末・戦争の構造―国際法知らずの日本人へ』（徳間文庫、1997）
近藤和彦　『イギリス史10講』（岩波新書、2013）
斎藤　勇　『文学としての聖書』（研究社、1944）
坂井榮八郎　『ドイツ史10講』（岩波新書、2003）
佐々木史郎　『北方から来た交易民―絹と毛皮とサンタン人』（NHKブックス、1996）
榊原英資　『鎖国シンドローム―「内向き」日本だから生きのびる』（集

岸本美緒／宮嶋博史他　『明清と李朝の時代（世界の歴史12）』（中央公論社、1998）
鬼頭　宏　『環境先進国・江戸』（PHP新書、2002）
鬼頭　宏　『文明としての江戸システム』（講談社学術文庫、2010）
北原糸子　『江戸の城づくり―都市インフラはこうして築かれた』（ちくま学芸文庫、2012）
木村和男　『毛皮交易が創る世界―ハドソン湾からユーラシアへ（世界歴史選書）』（岩波書店、2004）
木村正弘　『鎖国とシルバーロード―世界のなかのジパング』（サイマル出版会、1989）
金　哲雄　『ユグノーの経済史的研究』（ミネルヴァ書房、2003）
工藤喜作　『スピノザ（人と思想58）』（清水書院、1980）
久芳　崇　『東アジアの兵器革命―十六世紀中国に渡った日本の鉄砲』（吉川弘文館、2010）
ヨーゼフ・クライナー編　『ケンペルのみた日本（NHKブックス）』（日本放送出版協会、1996）
倉地克直　『江戸の災害史―徳川日本の経験に学ぶ』（中公新書、2016）
グリンメルスハウゼン　『阿呆物語　上中下』（望月市恵訳、岩波文庫、1953・1954）
フレデリック・クレインス　『十七世紀のオランダ人が見た日本』（臨川書店、2010）
フレデリック・クレインス編　『日蘭関係史をよみとく　下巻　運ばれる情報と物』（臨川書店、2015）
アルフレッド・クロスビー　『数量化革命―ヨーロッパ覇権をもたらした世界観の誕生』（小沢千重子訳、紀伊國屋書店、2003）
黒田明伸　『貨幣システムの世界史』（岩波現代文庫、2020）
見市雅俊　『ロンドン＝炎が生んだ世界都市―大火・ペスト・反カソリック』（講談社選書メチエ、1999）
ケンペル　『江戸参府旅行日記』（斎藤　信訳、平凡社東洋文庫、1977）
小泉　徹　『宗教改革とその時代（世界史リブレット）』（山川出版社、

選書メチエ、1994）
紙屋敦之　『琉球と日本・中国（日本史リブレット43）』（山川出版社、2003）
カモンイス　『ウズ・ルジアダス―ルシタニアの人びと』（小林英夫他訳、岩波書店、1978）
苅谷春郎　『江戸の性病―梅毒流行事情』（三一書房、1993）
川勝平太　『「鎖国」と資本主義』（藤原書店、2012）
川北　稔　『世界システム論講義』（ちくま学芸文庫、2016）
川島祐次　『朝鮮人参秘史』（八坂書房、1993）
河添房江　『唐物の文化史―舶来品からみた日本』（岩波新書、2014）
川戸貴史　『戦国大名の経済学』（講談社現代新書、2020）
川成　洋　『図説　スペインの歴史』（河出書房新社、1994）
河部利夫　『世界の歴史18　東南アジア』（河出文庫、1990）
姜在彦（カン・ジェオン）『歴史物語 朝鮮半島（朝日選書）』（朝日新聞社、2006）
神田千里　『島原の乱―キリシタン信仰と武装蜂起』（中公新書、2005）
神田千里　『宗教で読む戦国時代』（講談社選書メチエ、2010）
カント　『人間学』（坂田徳男訳、岩波文庫、1952）
カント　『永遠平和のために／啓蒙とは何か　他3編』（中山　元訳、光文社古典新訳文庫、2006）
菊池良生　『戦うハプスブルク家―近代の序章としての三十年戦争』（講談社現代新書、1995）
菊池良生　『傭兵の二千年史』（講談社現代新書、2002）
菊池良生　『神聖ローマ帝国』（講談社現代新書、2003）
木村尚三郎　『近代の神話―新ヨーロッパ像』（中公新書、1975）
岸本美緒　『東アジアの「近世」（世界史リブレット13）』（山川出版社、1998）
岸本美緒編　『1571年　銀の大流通と国家統合（歴史の転換期6）』（山川出版社、2019）

奥村正二 『小判・生糸・和鉄─続江戸時代技術史』（岩波新書、1973）
岡田英弘編 『清朝とは何か（別冊『環』16）』（藤原書店、2009）
岡本隆司 『世界史とつなげて学ぶ 中国全史』（東洋経済新報社、2019）
岡本隆司 『「中国」の形成　現代への展望（シリーズ中国の歴史⑤）』（岩波新書、2020）
海部美知 『パラダイス鎖国─忘れられた大国・日本』（アスキー新書、2008）
笠谷和比古／黒田慶一 『秀吉の野望と誤算─文禄・慶長の役と関ヶ原合戦』（文英堂、2000）
エルンスト・カッシーラー 『デカルト、コルネーユ、スウェーデン女王クリスティナ─十七世紀の英雄的精神と至高善の探求』（朝倉剛／羽賀賢二訳、工作舎、2000）
エルンスト・カッシーラー 『国家の神話』（宮田光雄訳、講談社学術文庫、2018）
加藤榮一 『幕藩制国家の形成と外国貿易（歴史科学叢書）』（校倉書房、1993）
加藤榮一 『幕藩制国家の成立と対外関係（思文閣史学叢書）』（思文閣出版、1999）
加藤榮一／北島万次／深谷克己編著 『幕藩制国家と異域・異国』（校倉書房、1989）
加藤茂孝 『人類と感染症の歴史』（丸善出版、2013）
門田隆将 『疫病2020』（産経新聞出版、2020）
角山　榮 『堺─海の都市文明』（PHP新書、2000）
金子常規 『兵器と戦術の世界史』（中公文庫、2013）
樺山紘一 『世界史への扉（地域からの世界史19）』（朝日新聞社、1992）
樺山紘一 『ヨーロッパ近代文明の曙─描かれたオランダ黄金世紀』（京都大学学術出版会、2015）
樺山紘一編 『世界の戦争6　大航海時代の戦争─エリザベス女王と無敵艦隊』（講談社、1985）
上垣内憲一 『「鎖国」の比較文明論─東アジアからの視点』（講談社

活』（岩波新書、1982）
宇田川武久　『鉄炮伝来―兵器が語る近世の誕生』（講談社学術文庫、2013）
梅棹忠夫編著　『日本文明77の鍵』（文春新書、2005）
ゲルハルト・エストライヒ　『近代国家の覚醒―新ストア主義・身分制・ポリツァイ』（山内進他訳、創文社、1993）
大石慎三郎　『江戸時代』（中公新書、1977）
大石慎三郎／中根千枝他　『江戸時代と近代化』（筑摩書房、1986）
大石　学　『江戸の外交戦略（角川選書）』（角川学芸出版、2009）
旺文社編　『現代視点　戦国・幕末の群像　徳川家康』（旺文社、1983）
旺文社編　『現代視点　戦国・幕末の群像　榎本武揚』（旺文社、1983）
大川周明　『近世欧羅巴殖民史　第1』（慶應通信、1941）
大川周明　『特許植民会社制度研究―大航海時代から二十世紀まで（復刻版）』（書肆心水、2008）
大木英夫　『ピューリタン―近代化の精神構造』（聖学院大学出版会、2006）
大黒俊二　『嘘と貪欲―西欧中世の商業・商人観』（名古屋大学出版会、2006）
大野真弓編　『世界の歴史8　絶対君主と人民』（中公文庫、1975）
大庭　脩　『江戸時代の日中秘話（東方選書）』（東方書店、1980）
大庭　脩　『徳川吉宗と康熙帝―鎖国下での日中交流（あじあブックス）』（大修館書店、1999）
大庭　脩　『漂着船物語―江戸時代の日中交流』（岩波新書、2001）
大橋幸泰　『潜伏キリシタン―江戸時代の禁教政策と民衆』（講談社学術文庫、2019）
岡崎勝世　『科学 vs. キリスト教―世界史の転換』（講談社現代新書、2013）
岡崎久彦　『繁栄と衰退と―オランダ史に日本が見える』（文春文庫、1999）
奥村正二　『火縄銃から黒船まで―江戸時代技術史』（岩波新書、1970）

岩井茂樹　『朝貢・海禁・互市―近世東アジアの貿易と秩序』（名古屋大学出版会、2020）
岩井　淳　『千年王国を夢みた革命―十七世紀英米のピューリタン』（講談社選書メチエ、1995）
岩井　淳　『ピューリタン革命と複合国家（世界史リブレット）』（山川出版社、2010）
岩切友里子　『カラー版　国芳』（岩波新書、2014）
岩下哲典　『江戸の海外情報ネットワーク（歴史文化ライブラリー）』（吉川弘文館、2006）
岩下哲典　『江戸将軍が見た地球』（メディアファクトリー新書、2011）
岩尾龍太郎　『江戸時代のロビンソン』（新潮文庫、2009）
岩生成一　『南洋日本町の研究』（岩波書店、1966）
岩生成一　『日本の歴史14　鎖国』（中公文庫、1974）
岩生成一　『続　南洋日本町の研究』（岩波書店、1987）
ヴァイグル　『近代の小道具たち』（三島憲一訳、青土社、1990）
ウィルソン　『オランダ共和国（世界大学選書26）』（堀越孝一訳、平凡社、1971）
ヴェーバー　『プロテスタンティズムの倫理と資本主義の精神』（中山元訳、日経BP社、2010）
ヴェロニカ・ウェッジウッド　『ドイツ三十年戦争』（瀬原義生訳、刀水書房、2003）
上田　信　『中国の歴史09　海と帝国　明清時代』（講談社、2005）
上田　信　『シナ海域 蜃気楼王国の興亡』（講談社、2013）
上田　信　『人口の中国史』（岩波新書、2020）
ウォーラースティン　『近代世界システム　Ⅰ・Ⅱ』（岩波現代選書、1981）
ヴォルピ　『賢者の「営業力」―日本進出の成功例、宣教師ヴァリニャーノの教え』（大上順一訳、PHP研究所、2006）
ヴォルピ　『巡察師ヴァリニャーノと日本』（原田和夫訳、一藝社、2008）
臼田　昭　『ピープス氏の秘められた日記―17世紀イギリス紳士の生

2004）
石井米雄　『タイ近世史研究序説』（岩波書店、1999）
生田　滋　『大航海時代とモルッカ諸島―ポルトガル、スペイン、テルナテ王国と丁字貿易』（中公新書、1998）
池内　紀　『カント先生の散歩』（潮文庫、2016）
池上英子　『名誉と順応―サムライ精神の歴史社会学』（森本醇訳、NTT出版、2000）
石　弘之／安田喜憲／湯浅赳男　『環境と文明の世界史―人類史20万年の興亡を環境史から学ぶ―』（洋泉社、2001）
石　弘之　『火山噴火･動物虐殺･人口爆発―20万年の地球環境史』（洋泉社、2001）
石　弘之　『感染症の世界史』（角川ソフィア文庫、2018）
石澤良昭／生田滋　『東南アジアの伝統と発展（世界の歴史13）』（中央公論社、1998）
石原道博　『文禄・慶長の役』（塙書房、1963）
磯田道史　『歴史の読み解き方―江戸期日本の危機管理に学ぶ』（朝日新書、2013）
磯田道史　『NHK　さかのぼり日本史⑥　江戸“天下泰平”の礎』（NHK出版、2012）
市村佑一／大石慎三郎　『鎖国―ゆるやかな情報革命（新書・江戸時代史4）』（講談社現代新書、1995）
伊藤　潔　『台湾―四百年の歴史と展望』（中公新書、1993）
今井登志喜　『都市の発達史―近世における繁栄中心の移動』（誠文堂新光社、1980）
今井　宏　『クロムウェル―ピューリタン革命の英雄（センチュリーブックス　人と歴史シリーズ　西洋16）』（清水書院、1972）
今井　宏　『世界の歴史13　絶対君主の時代』（河出文庫、1989）
今井　宏　『明治日本とイギリス革命』（ちくま学芸文庫、1994）
今村仁司　『近代性の構造―「企て」から「試み」へ』（講談社選書メチエ、1994）

## 参考文献


青木康征　『南米ポトシ銀山―スペイン帝国を支えた“打出の小槌”』（中公新書、2000）

朝尾直弘　『日本の歴史17　鎖国』（小学館、1975）

朝尾直弘編　『日本の近世1　世界史のなかの近世』（中央公論社、1991）

朝倉治彦校注　『人倫訓蒙図彙（東洋文庫）』（平凡社、1990）

浅田　實　『東インド会社―巨大商業資本の盛衰』（講談社現代新書、1989）

ジャック・アタリ　『命の経済―パンデミック後、新しい世界が始まる』（林昌宏／坪子理美訳、プレジデント社、2020）

ジャック・アタリ　『国家債務危機―ソブリン・クライシスに、いかに対処すべきか？』（林　昌宏訳、作品社、2011）

ジャック・アタリ　『1492　西欧文明の世界支配』（斎藤広信訳、ちくま学芸文庫、2009）

ジャネット・アブー＝ルゴド　『ヨーロッパ覇権以前―もうひとつの世界システム　上下』（佐藤次高他訳、岩波書店、2001）

グレアム・アリソン　『米中戦争前夜―新旧大国を衝突させる歴史の法則と回避のシナリオ』（藤原朝子訳、ダイヤモンド社、2017）

阿部謹也　『物語　ドイツの歴史―ドイツ的とはなにか』（中公新書、1998）

阿部謹也　『中世の星の下で』（影書房、1983）

荒川秀俊　『飢饉（教育社歴史新書）』（教育社、1979）

荒野泰典　『「鎖国」を見直す』（岩波現代文庫、2019）

荒野泰典　『近世日本と東アジア』（東京大学出版会、1988）

荒野泰典編　『日本の時代史14　江戸幕府と東アジア』（吉川弘文館、2003）

荒野泰典／村井章介／石井正敏編　『アジアのなかの日本史　II 外交と戦争』（東京大学出版会、1992）

アンダーソン　『帆船　6000年のあゆみ』（松田常美訳、成山堂書店、

ディスカヴァー
携書
225

世界史から読み解く「コロナ後」の現代

発行日　2020年12月20日　第1刷

Author　佐藤けんいち
Illustrator　小林祐司（本文図版）
Book Designer　國枝達也（オビ）　石間淳（カバー・表紙）
Publication　株式会社ディスカヴァー・トゥエンティワン
〒102-0093　東京都千代田区平河町2-16-1 平河町森タワー11F
TEL　03-3237-8321（代表）　03-3237-8345（営業）
FAX　03-3237-8323
https://d21.co.jp/

Publisher　谷口奈緒美
Editor　藤田浩芳　林拓馬

Publishing Company
Staff　蛯原昇　梅本翔太　千葉正幸　原典宏　古矢薫　佐藤昌幸　青木翔平　大竹朝子　小木曽礼丈　小山怜那　川島理　川本寛子　越野志絵良　佐竹祐哉　佐藤淳基　志摩麻衣　竹内大貴　滝口景太郎　直林実咲　野村美空　橋本莉奈　廣内悠理　三角真穂　宮田有利子　渡辺基志　井澤徳子　藤井かおり　藤井多穂子　町田加奈子

Digital Commerce Company
Staff　谷口奈緒美　飯田智樹　大山聡子　安永智洋　岡本典子　早水真吾　三輪真也　磯部隆　伊東佑真　王廳　倉田華　榊原僚　佐々木玲奈　佐藤サラ圭　庄司知世　杉田彰子　高橋雛乃　辰巳佳衣　谷中卓　中島俊平　野﨑竜海　野中保奈美　林拓馬　林秀樹　三谷祐一　元木優子　安永姫菜　小石亜季　中澤泰宏　石橋佐知子

Business Solution Company
Staff　蛯原昇　志摩晃司　藤田浩芳　野村美紀　南健一

Ebook Group
Staff　松原史与志　西川なつか　牧野類　小田孝文　俵敬子

Business Platform Group
Staff　大星多聞　小関勝則　堀部直人　小田木もも　斎藤悠人　山中麻吏　福田章平　伊藤香　葛目美枝子　鈴木洋子　畑野衣見

Corporate Design Group
Staff　岡村浩明　井筒浩　井上竜之介　奥田千晶　田中亜紀　福永友紀　山田諭志　池田望　石光まゆ子　齋藤朋子　丸山香織　宮崎陽子　青木涼馬　大竹美和　大塚南奈　越智佳奈子　副島杏南　田山礼真　津野主揮　中西花　西方裕人　羽地夕夏　平池輝　星明里　松ノ下直輝　八木眸

Proofreader　株式会社鷗来堂
DTP　株式会社RUHIA
Printing　共同印刷株式会社

・定価はカバーに表示してあります。本書の無断転載・複写は、著作権法上での例外を除き禁じられています。インターネット、モバイル等の電子メディアにおける無断転載ならびに第三者によるスキャンやデジタル化もこれに準じます。
・乱丁・落丁本はお取り替えいたしますので、小社「不良品交換係」まで着払いにてお送りください。
・本書へのご意見ご感想は下記からご送信いただけます。
https://d21.co.jp/inquiry/

ISBN978-4-7993-2700-5
©Kenichi Sato, 2020, Printed in Japan.

携書ロゴ：長坂勇司
携書フォーマット：石間　淳

Discover

人と組織の可能性を拓く
ディスカヴァー・トゥエンティワンからのご案内

本書のご感想をいただいた方に
うれしい特典をお届けします！

特典内容の確認・ご応募はこちらから

https://d21.co.jp/news/event/book-voice/

最後までお読みいただき、ありがとうございます。
本書を通して、何か発見はありましたか？
ぜひ、感想をお聞かせください。

いただいた感想は、著者と編集者が拝読します。

また、ご感想をくださった方には、お得な特典をお届けします。